P9-CQM-630

COLLECTION FEMME

CHRISTIANE OLIVIER

LES ENFANTS DE JOCASTE

g

DENOËL/GONTHIER

Collection « Femme »

19, rue de l'Université, Paris 7e
ISBN 2-207-20279-1

AVANT-PROPOS

Il y a le discours analytique : recherché, compliqué, étudié pour vous écarter, vous semer, vous éberluer vous qui n'êtes pas analystes...

Il y a le discours féministe : discours coloré, imagé, sexué, fait pour que vous entriez, compreniez, même si vous n'êtes pas féministe, d'autant que vous n'êtes pas féministe...

Et il y a ceux qui ne se reconnaissent ni dans l'un ni dans l'autre parce que, de toute façon, ils refusent d'être extrémistes.

Me tenir entre ces deux discours, ne pas m'isoler en adoptant le premier, ne pas vous submerger en parlant le second. Parler le langage du milieu, celui qui ne met de côté ni l'affect ni l'intellect. Etre femme et analyste, c'est-à-dire porter les deux extrêmes, garder ensemble l'émoi et le verbe, refuser d'être ou plus femme ou plus analyste, refuser de me diviser ou de me spécialiser.

Trop longtemps je me suis laissé arranger à « leur » façon avec « leurs » mots, que je ne reconnaissais pas et n'entendais pas. Pourquoi les laissais-je parler de moi alors que je ne disais rien d'eux ? J'ai décidé de parler « aussi » d'eux et de les définir à mon tour, à l'intérieur d'une théorie écrite par une femme avec des mots de femme, des fantasmes de femme...

Le « Nom du Père » je le leur laisse, c'est leur affaire ; à moi l'« Ombre de la Mère », à moi de me pencher sur le discours transférentiel pour y découvrir la part de Maternel.

Si au départ la psychanalyse a été écrite au masculin, le

moment n'est-il pas venu de la lire au féminin ? Si Freud a vu la femme comme manquant de « masculinité », les féministes trouvent l'homme singulièrement dépourvu de « féminité ».

Dans une époque où hommes et femmes veulent réduire leurs différences, il faut d'abord qu'ils mesurent leurs distances, qu'ils en sachent l'origine et le commencement : il faut remonter à ce qui fut le premier discours, car avant le transférentiel il y eut le Transmaternel. C'est ce transmaternel qui apparaît comme radicalement différent d'un sexe à l'autre.

Autrement dit, sur le divan chacun parle de sa maman, mais comment ? Que dit-il inconsciemment ?

Telles sont les questions qui seront abordées ici à travers l'histoire qui m'est contée à moi, psychanalyste, histoire qui n'est pas toujours en accord avec celle que Freud nous avait rapportée... Il était un homme et je suis une femme, il vivait en 1880 et moi en 1980.

DISCOURS IMAGINAIRE

Sigmund Freud : « *Vous me prédisez qu'après moi, mes erreurs risquent d'être adorées comme de saintes reliques... Au contraire, je crois que mes successeurs se hâteront de démolir tout ce qui n'est pas parfaitement étayé dans ce que je laisse derrière moi.* »

François Roustang : « *Il n'y a donc jamais par avance une théorie analytique sur laquelle on pourrait s'appuyer, mais, après coup, une* possible théorisation *, *toujours nécessaire, jamais assurée.* »

Robert Stoller : « *Quelque chose ne va pas dans la* théorie freudienne. »

Luce Irigaray : « *La psychanalyse tient sur la sexualité féminine le discours de la vérité. Un discours qui dit le vrai de la vérité : à savoir que* le féminin *n'y a lieu qu'à l'intérieur de modèles édictés par des* sujets masculins. »

Robert Pujol : « *Le désir secret* féminin *est de cacher que le corps de* l'homme *est la concurrence insupportable de la différence...* »

* Mots soulignés par l'auteur.

Hélène Cixous : « *Ils lui ont fait un antinarcissisme ! un narcissisme qui ne s'aime qu'à se faire aimer pour* ce qu'on n'a pas ! »

Robert Pujol : « *La femme représente la castration généralisée que le vivant reçoit du verbe — et en tant que* le pénis lui manque —, *elle représente l'aliénation absolue de la parole.* »

Hélène Cixous : « Où est-elle la femme *dans tous les espaces qu'il arpente, toutes les scènes qu'il monte à l'intérieur de la clôture littéraire ?* »

Jacques Lacan : « La *femme ça ne peut s'écrire qu'à* barrer *la.* »

Hélène Cixous : « *Rêve d'homme : Je l'aime* absente, *donc désirable, inexistante, dépendante, donc adorable. Parce qu'elle n'est pas là où elle est — tant qu'elle n'est pas là où elle est...* »

Jacques Lacan : « *Il y a une jouissance à elle, à cette elle* qui n'existe pas *et ne signifie rien.* »

Hélène Cixous : « *On lui a fait le coup du "Continent noir", on l'a tenue à distance d'elle-même, on lui a donné à voir* (= *ne pas voir*). *La femme à partir de ce que l'homme veut voir d'elle, c'est-à-dire* presque rien. »

Luce Irigaray : « *Comment le dire ? Que tout de suite nous sommes femmes... Et que leur histoire constitue le lieu de notre* déportation. »

Anaïs Nin : « *Je veux un monde différent, un monde qui ne serait pas né du besoin de* pouvoir qui caractérise l'homme *et qui est à l'origine de la guerre et de l'injustice. Nous devons créer une* femme nouvelle. »

Hélène Cixous : « *Il y aura de* l'ailleurs *où l'autre n'y sera plus* condamnée à mort. »

La Reine. — M'avez-vous oubliée ?
Hamlet. — Non... Vous êtes la reine, la femme du frère de votre mari — et puisse-t-il ne pas en être ainsi — vous êtes ma Mère.

SHAKESPEARE

1.

LA CONSPIRATION DU SILENCE

Laïos-Jocaste... Jocaste-Œdipe... Œdipe-Antigone et Ismène...

Telle est la tragédie grecque qui embrasse l'origine et la fin du malheureux héros que Freud a choisi comme modèle de toute destinée humaine. De cette tragédie, riche en personnages et en comparses, Freud a extrait seulement Œdipe, le fils amoureux de sa mère et meurtrier de son père : de celui-ci, il nous décrit longuement les sentiments, les souhaits, les remords. Il nous parle sans arrêt d'Œdipe, mais de Jocaste, sa comparse, qui s'en soucie ? Elle, et son désir qui la pousse à coucher avec son propre fils, chair de sa chair, celui qui a du sexe ce qu'elle n'a pas, elle, en tant que femme.

Jocaste, réalisation du vieux rêve androgyne de toute l'humanité, peut-elle être oubliée ? Elle qui ferme ce qui de l'Etre ne peut jamais se colmater, elle qui annihile le Manque, qui abolit la Castration, peut-elle être laissée dans l'ombre ?

C'est pourtant là que Sophocle (et à sa suite Freud) l'avait laissée ; pas totalement, cependant, car si dans la tragédie antique, son apparition est brève, le peu de mots qu'elle prononce a pour effet de plonger Œdipe et les spectateurs dans la stupeur :

« Ah ! Puisses-tu jamais n'apprendre qui tu es ! »

Jocaste savait-elle donc quelque chose de l'origine d'Œdipe, de la mort de son père, et du crime qu'elle continuait de perpétuer avec son fils ? Jocaste plus coupable qu'Œdipe ? Œdipe, jouet de Jocaste et de son désir ?

La race des Jocastes est-elle éteinte ? Freud n'en dit pas un mot. Pourquoi ce silence à propos de Jocaste ? Silence qui a pu faire croire à l'innocence des mères, mais les mères peuvent-elles échapper à un destin que ne peuvent éviter leurs enfants ?

Histoires, qui nous sont contées à nous, psychanalystes, et dont la mère ne paraît jamais absente, ni innocente : éloignement des pères d'auprès de leurs enfants, prôné par les hommes et exécuté par les femmes, seules détentrices du pouvoir éducatif auprès de l'enfant.

Laïos absent, Jocaste seule ayant pris toute la place auprès d'Œdipe. N'est-ce pas le tableau classique ? Et ce tableau n'appartient-il pas autant au drame moderne qu'à la tragédie antique ?

Jocaste a-t-elle su et voulu vivre l'inceste avec son fils ? Les femmes d'aujourd'hui veulent-elles et savent-elles ce qu'elles font en prenant la première place auprès de l'enfant ? Ont-elles connaissance de ce qu'elles déclenchent ainsi chez leurs fils, chez leurs filles ?

Ces femmes qui disent le plus naturellement du monde, en parlant de leur fils « il fait son Œdipe », pensent-elles une minute « et moi je fais ma Jocaste » ? Si Œdipe est considéré comme le modèle universel de l'homme, Jocaste ne peut-elle pas être tenue pour le mythe éternel de la femme-mère ?

Etant femme et psychanalyste, comment ne pas être attirée par ce personnage absent de la théorie freudienne, comment ne pas voir que cette théorie, sur laquelle je m'appuie comme analyste, manque du moindre référent féminin ?

Comment ne pas voir que si les hommes que je côtoie sont les fils de Jocaste, les femmes en sont les filles ? Qu'est-ce que cela recèle ? Qu'est-ce que cela implique pour elles et pour moi ? Toute la théorie freudienne est ici à inventer. Rendue à ce point, il ne me paraît plus possible de me séparer de mes patientes, ou de faire la morte comme à l'accoutumée. Je renonce ici à séparer ce que je SUIS de ce que je SAIS, et j'affirme que ce que j'entends, sur le divan, venant des autres femmes, me livre quelque chose d'un ordre féminin que je reconnais pour mien.

Aussi parlerai-je tour à tour d'elles et de moi, pour nous situer autrement que ce que la psychanalyse nous a assignées à être jusqu'à ce jour : il est nécessaire de repenser la théorie de l'inconscient, avec l'aide des femmes, grâce à leur parole. Le temps n'est plus où l'homme inventait une femme à sa mesure, ou plutôt à la mesure de son besoin de domination.

Que la théorie psychanalytique révèle remarquablement ce que l'homme attend que la femme SOIT, c'est évident, mais qu'en même temps elle rende compte de ce que la femme EST, certainement pas, comme l'écrit très justement Luce Irigaray : « Jusqu'à présent, les concepts majeurs de la psychanalyse, sa théorie n'auront pas rendu compte du désir de la femme [1]. »

Si donc, la femme a pu être réduite à être le fantasme de l'homme, l'homme aurait pu se réduire au fantasme de la femme pour peu que la théorie initiale eût été l'œuvre d'une femme ! Et nous pouvons regretter avec Germaine Greer que la psychanalyse « ait un père mais pas de mère ! »...

En effet, si celles qui me parlent ne trouvent pas de place dans cette société sexiste, moi je ne trouve pas trace de mon désir dans une théorie fondée uniquement sur des prémices masculines.

Freud fut le premier à tenter une démarche égocentrique, inverse de toute démarche scientifique : au lieu de prendre un objet d'étude dans le monde, il s'est pris *lui-même comme objet de recherche* et a confronté le schéma obtenu avec celui des grands mythes de l'humanité : Œdipe, Moïse, Michel-Ange. Les études de cas cliniques côtoient les analyses littéraires et artistiques, on sent que Freud cherche une loi commune, applicable à l'homme d'aujourd'hui, comme à celui d'hier. Ainsi, l'étude du « petit Hans » alterne avec l'analyse d'un « souvenir d'enfance de Léonard de Vinci », « le président Shreber » côtoie « Moïse et le monothéisme ».

Mais il n'y a le plus souvent que des figures masculines (Dora exceptée). N'est-ce pas naturel ? Freud n'était-il pas un homme ? Et n'avait-il pas toute facilité pour s'interroger sur lui-même d'abord ? Comment aurait-il pu s'interroger sur la femme qu'il n'était pas ?

Alors pour LA définir, il s'est contenté de regarder vivre la femme de 1880, petite-bourgeoise vivant à l'intérieur d'une famille conventionnelle aux rôles ancestralement bien définis. Cette femme occupait alors de façon évidente une « certaine

1. *Spéculum, de l'autre femme,* Paris, Ed. de Minuit, p. 63.

place » plutôt qu'une « place certaine », et nous nous retrouvons devant une psychanalyse qui, preuves à l'appui (fournies par Freud, qui les puisait dans son milieu et sa famille), ne nous donne qu'une place étrangement réduite. N'écrivait-il pas à sa chère Martha le 15 novembre 1883 :

« Je crois que toutes les réformes législatives et éducatives échoueraient, du fait que, bien avant l'âge auquel un homme peut s'assurer une situation sociale, la nature décide de la destinée d'une femme en lui donnant la beauté, le charme, la douceur [1]. »

Ne parle-t-il pas là comme le pire des antiféministes ? Et n'exprime-t-il pas qu'il est décidé à confondre les attraits sexuels des femmes avec leur place sociale ? Créant un imbroglio dont on commence à peine à se remettre.

Pour que place sociale et place sexuelle se confondent, il a fallu passer par d'étranges refoulements, suivre d'incroyables chemins, qui mènent tous à ce fameux « Continent noir » de la sexualité féminine.

L'infériorité de la femme, ce n'est pas Freud qui l'a inaugurée, même si bien des féministes tentent de nous le faire croire, mais disons qu'il a tout fait pour l'expliquer, la rendre logique, donc inéluctable. Ce qu'il y a eu de grave, avec l'apparition de Freud, c'est que l'infériorité constatée socialement a pris un aspect scientifique, et que ses équations féminines sont passées pour des adages connus de tous, et dont les femmes portent encore la trace.

Benoîte Groult a raison quand elle écrit : « Les femmes allaient peut-être accéder à la rampe de départ, quand survint pour elles un grand malheur : Freud [2]. »

Que peut dire une analyste de la tentative freudienne d'adapter la femme à l'homme ? Sinon que Dieu tira Eve de la côte d'Adam et que Freud tira la sexualité féminine de la libido masculine : le mythe n'est-il pas toujours le même ? Et ne s'agit-il pas de fantasmes d'hommes dans une civilisation patriarcale où l'homme est tenu pour supérieur et la femme maintenue en infériorité de façon continue au cours de l'histoire ?

Il est assez significatif que Freud ait toujours choisi des

1. *Correspondance de Freud,* Ed. Gallimard, p. 87.

2. *Ainsi soit-elle,* Ed. Grasset, Paris, p. 58.

mythes de civilisations grecque ou latine, donc patriarcales ; que n'a-t-il jeté un coup d'œil sur les civilisations différentes de celles-ci. Il y eût découvert « l'autre mythe féminin » avec ses sorcières, ses amazones, ses divinités originelles, ses Walkyries guerrières. Notre image en eût été certainement influencée, et surtout notre rôle envisagé tout autrement.

Freud, en se rapprochant des grands mythes antiques, est toujours tombé, comme par hasard, sur des civilisations où l'homme tenait le devant de la scène. En rapprochant l'homme de la rue du héros, certes Freud lui a donné une dimension éternelle mais, manque de chance, cet inconscient était celui d'un bourgeois du siècle dernier, qui à l'instar des autres hommes de son temps, ne pouvait imaginer autre chose, pour la femme, que l'infériorité sociale où il la voyait tenue.

Il l'a vue se taire en présence de l'homme, et en a conclu à son incapacité de sublimation intellectuelle. Il l'a vue servir l'homme et l'a imaginée masochiste. Il l'a vue s'occuper de l'enfant et aussitôt l'a assignée à maternité pour combler son manque (selon la fameuse équation : pénis = enfant).

Les femmes s'aperçoivent en effet aujourd'hui, après un long temps de silence, que si Freud a laissé de l'homme une statue à l'assise inébranlable, au regard tourné vers la Sublimation, celle de la femme, en revanche, est une statue de Maternité-fécondité imbécile, qui ne peut convenir aux femmes actuelles : elles sont mères transitoirement (et non plus inéluctablement) et femmes durablement, ne confondant à aucun moment ces deux aspects de leur personne.

Pas plus que l'homme ne s'identifie au père qu'il représente pour son enfant, la femme ne se réduit à la mère qu'elle accepte d'être pour quelques années, au sein de la famille. La femme, du coup, rend à la fonction sexuelle sa vraie place, qui ne se tient pas à la Reproduction comme on a tenté de nous le faire croire, mais à la Jouissance. Les femmes ont acquis depuis peu, et contre bien des préjugés, dont certains sont freudiens, le droit à la jouissance, hors de toute idée de maternité.

Et les femmes ont l'impression de sortir d'une bien étrange prison, qui avait été inventée par les hommes, dont l'homme-psychanalyste n'est qu'un parmi les autres, mais peut-être le plus insidieusement dangereux : n'a-t-il pas singulièrement renforcé les barreaux, en faisant passer le désir de capture de l'oiseleur, pour la jouissance à être capturé de l'oiseau ? (La domination ancestrale de l'homme est devenue, par le recours au supposé masochisme féminin, le souhait inné de la femme.)

Le système est enfin dénoncé, la vérité enfin mise au jour, et la réduction que Freud a fait subir à la femme, en se fondant sur la famille et la société de son temps, lui est aujourd'hui appliquée à lui-même par les femmes qui déclarent que, du fond de son Œdipe patriarcal, il ne pouvait que les réduire au silence.

Le plus souvent, aujourd'hui, pour s'en prendre au système phallocratique, les féministes s'en prennent à un seul : le Père de la psychanalyse. De même que Freud s'est servi de son propre Œdipe pour accéder à celui de toute l'humanité, on part maintenant de « son » Œdipe et de « sa » misogynie pour expliquer celle de toute l'humanité.

Démarche extensive, intronisée par Freud lui-même, et qui porte ses fruits : à l'heure actuelle Papa Freud paraît coupable de tous les crimes perpétrés envers les femmes depuis des siècles.

Pour régler son compte à sa mère, Freud a dû s'attaquer à toutes les femmes, et maintenant toutes ces femmes prétendent le tirer de sa tombe, et lui rendre œil pour œil, dent pour dent.

C'est ce qu'il semble, dès qu'on ouvre quelque ouvrage féministe. Freud y figure comme l'ennemi n° 1, avant les autres : écrivains, sociologues, médecins. La psychanalyse nous est présentée comme une peste, mais qui ne tuerait que les femmes. Ne vaudrait-il pas mieux dire qu'elle ne possède jusqu'à présent qu'un seul volet, et ne traite que du *masculin* même si ce masculin a besoin, pour s'établir, d'un contrepoint appelé *femme* ou *féminité ?* L'image donnée de nous n'est jamais que celle dont l'homme a besoin pour que soit conservée sa virile suprématie. Et nous, femmes, qu'avons-nous à faire de ce que l'homme imagine, et ne ferions-nous pas mieux de définir à notre tour ce que nous espérons trouver chez l'homme ? N'avons-nous pas payé très cher le fait de nous laisser définir par l'autre ? Il est temps de parler nous-mêmes, à propos de nous-mêmes.

Si le masculin a pour but et pour fonction d'emprisonner, enfermer, étouffer le féminin, alors nous n'avons rien à voir avec ce qu'ils disent, et nous devons nous définir seules, le devoir des femmes psychanalystes se trouve là : écrire « l'autre psychanalyse ».

C'est en repartant de Freud, c'est en dénonçant son antiféminisme que nous l'écrirons, cette autre psychanalyse, car je pense que rejeter en bloc les découvertes de Freud, comme le font les féministes, risque de nous priver d'une voie déjà amorcée en pointillé que nous pouvons utiliser dans son origine, quitte à la rejeter dans son aboutissement. C'est en reprenant le cheminement de Freud vis-à-vis de l'évolution sexuelle de la fille, que nous avons quelque chance de remonter à l'erreur fondamentale au sujet de la sexualité de la femme.

Car il est bien vrai que ce pionnier de la vérité cachée, ce chercheur infatigable, quand il s'est agi des femmes, s'est transformé en catastrophe. Autant tout ce qui concerne l'homme paraît juste, et n'ouvre sur aucune contestation, autant tout ce qu'il a dit sur la femme doit être réétudié, repris, réexaminé sous un autre regard, comme un objet volé enfin rendu à sa propriétaire.

Moi, femme, c'est là que j'ai envie de m'inscrire, en plein milieu de ce désastre de fantasmes et de mots masculins ayant trait à la féminité, et dont beaucoup, grâce à leur ésotérisme, ont pour fonction de tenir la femme écartée des lieux de l'homme : sait-on seulement que des mots aussi couramment employés dans les écrits analytiques que : SURMOI, SUBLIMATION, JOUISSANCE, PHALLISME, la femme est en partie ou totalement exclue ?

Si Freud avait été moins habité par l'idée de ramener la sexualité féminine à l'infériorité constatée socialement, et s'il avait davantage écouté ses patientes qu'il ne les a imaginées, il n'aurait pas atterri sur ce fameux « Continent noir » terrorisant pour les deux sexes. Eût-il seulement parlé de « Plage blanche » qu'il eût sans nul doute donné aux femmes envie de poser leurs pieds sur cette plage inviolée et d'y imprimer leur trace.

Depuis la disparition de Freud, la sublimation masculine a marché bon train, et actuellement l'extrême complexité des écrits psychanalytiques ne vise qu'au détournement de l'attention qui, s'acharnant sur le *verbe,* en perd de vue le *sens.*

En se perdant dans la guerre des phonèmes psychanalytiques, on a trop souvent dissimulé la sous-jacente guerre des sexes. Et pour avoir été négligée, passée sous silence, cette guerre des sexes éclate avec une vigueur extrême. Je ne dis pas que c'est la faute des analystes, mais qu'ils y sont pour quelque chose : on ne navigue pas journellement avec l'inconscient des deux sexes, sans en tirer quelques conclusions sur leur mode de fonctionnement et sur leur désir.

S'il est reconnu que nous n'avons pas notre mot à dire dans la guérison (dont le choix appartient en définitive au patient), peut-être avons-nous quelques conclusions à tirer de l'inconscient masculin et féminin en général.

A l'instar de Freud lui-même qui établit le lien entre pathologie et normalité en écrivant : *Psychopathologie de la vie quotidienne,* peut-être avons-nous à écrire la « psychopathologie du couple quotidien », tel que nous le voyons dans et hors de notre bureau. N'est-ce pas un tel projet qu'évoquait Freud lorsqu'il écrivait : « Nous ne trouvons pas du tout désirable que la psychanalyse soit engloutie par la médecine, qu'elle trouve son dernier gîte dans les traités de psychiatrie... En tant que "psychologie des profondeurs", elle peut devenir indispensable à toute science traitant de la civilisation humaine [1]. »

Et, en effet, la psychanalyse a pris une place de choix au sein des sciences humaines et de la pédagogie : on trouve de la psychanalyse un peu partout aujourd'hui, aussi bien cachée dans les colonnes d'un journal aussi populaire que *Elle,* qu'apparente dans les récits autobiographiques publiés ces derniers temps : l'itinéraire analytique est devenu sinon « la voie royale de l'inconscient », du moins l'humble chemin de beaucoup d'entre nous.

On peut s'étonner (et beaucoup de femmes l'ont fait devant moi) que parmi tout ce déferlement analytique aucune mise au jour du statut inconscient homme-femme n'ait été esquissée dans l'optique proposée sur la fin de sa vie par Freud lui-même, qui tenait à ce que la psychanalyse débordât la pathologie et s'étendît à l'étude du comportement humain en général.

Par exemple, le rapport dominant-dominé, que dénoncent les femmes, tant sur le plan familial que sur le plan social, ne peut-il pas être étudié là où il s'est joué pour la première fois dans la vie de la femme ? Et ce n'était pas avec l'homme, mais avec l'AUTRE femme : la MÈRE. Ne faut-il pas réétudier le rapport mère-fille,

3. *Ma vie et la psychanalyse,* Ed. Gallimard, Paris, p. 181.

si l'on veut comprendre quelque chose à ce qui se joue plus tard vis-à-vis de l'homme ? Car ce qui est vécu n'est alors que RÉPÉTITION, mais répétition de quoi au juste ?

C'est là que Freud a été arrêté, à l'entrée de ce « continent » vierge qu'il pensait devoir être défriché par ses successeurs : « A la fin du développement, l'homme-père doit être devenu le nouvel objet d'amour de la femme... De nouvelles tâches apparaissent ici pour la recherche [1]. »

Si, dans un premier temps, Freud s'était complu dans un discours apparemment logique, mais qui nous « réduisait » considérablement en tant que femme, n'a-t-il pas, dans un deuxième temps, annulé ce qu'il avait péniblement échafaudé et n'a-t-il pas reconnu son incapacité à rendre compte de l'évolution de la fillette ? Ne prévoyait-il pas la place des femmes au sein de cette recherche lorsqu'il écrivait à Marie Bonaparte, femme-analyste de son époque : « Que désire la femme [2] ? »

Je vais donc sortir du silence, lot habituel des femmes et des psychanalystes. En vérité, je sais bien que le seul propos qui m'eût été accordé en tant que femme aurait été un traité sur l'éducation de l'enfant considérée comme l'apanage de la femme. Je refuse de jouer ce jeu de la mère et de l'enfant, n'étant pas sûre (et vous verrez pourquoi) que l'éducation soit uniquement l'affaire des femmes, malgré le désir que certaines en expriment et contrairement à ce que les hommes en croient...

L'Œdipe nous a joué tant de tours aux uns et aux autres, qu'avant de parler de nos rôles il est plus sage d'examiner nos histoires... et nos histoires passent par l'Œdipe. C'est donc de celui-ci qu'il sera question pour en démontrer la logique, en incriminer les pièges, en dénoncer les impasses. L'Œdipe qu'a vécu Freud, et dont il nous a parlé, était celui d'un petit garçon vivant dans une société où l'homme avait fonction « sociale » et la femme fonction « familiale ». Si les fonctions sont inversées ou simplement partagées, comme le suggèrent les féministes, qu'en advient-il pour l'enfant de chaque sexe ?

En résumé, jusqu'où une analyste peut-elle être féministe ?

1. *La Vie sexuelle*, PUF, Paris, p. 142.
2. *Correspondance de Freud*, Payot, Paris.

Et si les féministes démasquent les effets sexistes de l'Œdipe sur le plan social, n'est-ce pas aux analystes d'en dévoiler les origines et le développement à travers l'inconscient individuel ? S'il y a malaise du côté des femmes, n'est-ce pas le devoir de toute analyste d'en rechercher la cause dans l'histoire de l'inconscient féminin tel qu'il se dévoile dans l'analyse ? Il est temps de rendre la parole volée à la femme et de l'écouter au lieu de se boucher les oreilles comme le font la plupart des hommes dérangés dans leur fonctionnement habituel par cette voix venue d'ailleurs.

Comme l'écrit Hélène Cixous : « Il est temps de transformer, d'inventer l'autre histoire. Il n'y a pas plus de "destin" que de "nature" ou d'"essence" comme tels, mais des structures vivantes prises, parfois figées dans les limites historico-culturelles, qui se confondent avec la scène de l'Histoire, à tel point qu'il a été longtemps impossible et qu'il est encore difficile de penser ou même d'imaginer l'ailleurs [1]. »

Devant le silence psychanalytique féminin à propos de la sexualité féminine, compte tenu de l'incessant bavardage masculin sur ce même sujet, on est amené à se demander s'il n'y a pas de femme pour « oser » (à l'instar de Freud) se souvenir de son enfance et pourquoi les femmes paraissent avoir opté pour le souvenir que les hommes ont d'elles... Et parfois leurs souvenirs de petits garçons se transforment en griefs dans notre vie de femme.

Combien de temps encore accepterons-nous que l'Œdipe de l'homme régisse notre vie de femme ? Combien de temps supporterons-nous que l'homme règle avec nous le passif accumulé avec la MÈRE ?

1. *La Jeune-Née,* p. 152.

Face à cette incertitude, il est bien dommage que Freud ait tenu à mener si loin la construction d'une psychologie de la femme.

KATE MILLET

2.

AU COMMENCEMENT ÉTAIT FREUD

Pourquoi Freud est-il attaqué de façon aussi virulente par les femmes ? Pourquoi lui plutôt qu'un autre ? Car nous savons bien qu'il n'est pas le seul sexiste, le seul phallocrate, le seul ennemi de la féminité. Oui, mais il est le seul à avoir érigé « sa » vérité en science d'apparence objective, et « sa » sexualité en sexualité universelle.

Dans la psychanalyse, nous trouvons une conception de la femme imaginée par l'homme, une femme telle que beaucoup d'autres hommes la souhaiteraient également, mais peut-être sans rapport avec ce qu'est réellement « la femme ».

A partir de Freud, il y a une distorsion de la sexualité féminine que les femmes remettent en cause, comme ne leur appartenant absolument pas.

Il faut se rappeler que s'il n'y a pas eu de femme pour se souvenir de son histoire de petite fille, il y a eu au départ de la psychanalyse, un homme *seul* se remémorant sa vie de petit garçon auprès de sa mère... N'oublions pas que Freud avait été adoré par sa mère, femme jeune, jolie, désirable, mariée à un homme beaucoup plus âgé qu'elle, et qui trouvait en son fils des satisfactions qui ont dû poser problème au jeune Sigmund. De cette vie avec sa mère, ce petit garçon devenu homme a tiré des conclusions sur l'évolution masculine qui, jusqu'à présent, n'ont pas été remises en question : il faut croire que l'analyse était fort pertinente. Mais il n'en a pas été de même en ce qui concerne la femme.

La clarté de l'évolution du garçon paraît lui avoir tendu un piège de taille, et il a, dans un premier temps, voulu établir l'évolution de la fillette comme *symétrique* de celle du garçon, ce qui l'a mené à d'étranges raisonnements du côté de la petite fille, puisqu'il voulait établir la symétrie, par rapport à une *dissymétrie* fondamentale : celle des sexes, et que pour lui la suprématie du sexe mâle ne paraissait faire aucun doute (ce qui pourrait nous faire sourire aujourd'hui). Donc, ayant posé cela en prémisses, il était obligé d'établir pour la fille un itinéraire intérieur compliqué qui lui fît reconnaître et accepter la « supériorité » du sexe mâle. Et ce ne fut pas sans difficulté qu'il élabora une théorie exposée dans tous ses détails dès 1905 dans les *Trois Essais sur la sexualité,* qui nous apparaît aujourd'hui comme truffée d'invraisemblances, dont les deux plus manifestes résident dans :

— l'envie de pénis
— le renoncement au clitoris.

L'envie de pénis, ou l'envie de ce que l'on n'a pas

Une des premières affirmations rencontrées dans les *Trois Essais* à propos de la sexualité infantile, nous paraît tout à fait acceptable : « Les petits garçons ne mettent pas en doute que toutes les personnes qu'ils rencontrent, ont un appareil génital semblable au leur [1]. » Mais elle ouvre immédiatement sur une question : Et les petites filles que croient-elles ? Elles qui ne connaissent également que leur propre appareil génital, peuvent-elles en imaginer un autre ? C'est là que Freud, bien résolu à accorder la primauté au sexe mâle, répond sans aucune logique apparente à cette question : « L'hypothèse d'un seul et même appareil génital (de l'organe mâle chez tous les hommes) est la première des théories sexuelles infantiles [2]. »

Et de peur que nous n'ayons pas bien compris il ajoute plus loin : « On peut émettre la thèse que la sexualité des petites filles a un caractère foncièrement mâle [3]. »

1. Freud, *Trois Essais sur la sexualité,* Gallimard, Paris, p. 91.
2. ID., *ibid.,* p. 92.
3. ID., *ibid.,* p. 129.

Ou encore : « On peut affirmer que la libido est de façon constante et régulière d'essence mâle, qu'elle apparaisse chez l'homme ou chez la femme[1]. »

Il y a là une rencontre assez frappante de la première théorie analytique et de l'idéologie dominante, sur la primauté du mâle. Et fait encore plus singulier, c'est une théorie à laquelle Freud restera attaché toute sa vie. *L'envie de pénis,* déclenchée par le fait que la fille souffrirait de ne pas avoir de sexe mâle, est une donnée reprise de façon régulière dans tous les écrits de Freud concernant la sexualité infantile de la fille. Que ce soit dans les *Trois Essais* ou dans *La Vie sexuelle,* recueil de conférences datant de 1931, la formulation est pratiquement toujours la même : « La petite fille, par contre, ne se refuse pas à accepter et à reconnaître l'existence d'un sexe différent du sien, une fois qu'elle a aperçu l'organe génital du garçon, elle est sujette à l'ENVIE DU PÉNIS[2]. »

« Elle remarque le grand pénis bien visible d'un frère ou d'un camarade de jeu, le reconnaît tout de suite comme la réplique supérieure de son propre petit organe caché et dès lors, elle est victime de l'ENVIE DU PÉNIS[3]. »

Et puis, de cette envie, Freud va tirer des conclusions en accord avec ce qu'il pense des femmes en général, dommage que les prémisses soient aussi douteuses... « Les conséquences psychiques de l'ENVIE DU PÉNIS sont multiples. Un sentiment d'infériorité s'installe chez la femme qui reconnaît sa blessure narcissique... Même lorsque l'envie de pénis a renoncé à son objet particulier, elle persiste dans le trait de caractère : *jalousie* avec un léger déplacement[4]. »

Il fallait à Freud une bien étrange assurance de posséder le seul sexe valeureux (ou un immense besoin de s'en persuader) pour établir comme seuls ressorts de l'évolution psychologique de la fillette l'envie et la jalousie par rapport au sexe du garçon. Car pour peu que l'on y réfléchisse, il n'apparaît pas évident que

1. Freud, *Trois Essais sur la sexualité,* Gallimard, Paris, p. 129.
2. ID., *ibid.,* p. 92. Mots soulignés par l'auteur.
3. *La Vie sexuelle,* PUF, Paris, p. 126. Mots soulignés par l'auteur.
4. ID., *ibid.,* p. 127. Mots soulignés par l'auteur.

toute fillette soit à même de voir « le grand pénis » d'un frère ou d'un voisin : car si le pénis est grand, c'est que le garçon est au moins adolescent, et consentira-t-il à cet âge à exhiber son sexe ?

A ce scénario des plus improbables, ajoutez qu'il faudrait à la fille un singulier aveuglement, ou une étrange imagination, pour reconnaître dans le sexe du garçon quelque chose qui ressemblât de près ou de loin au sien : on ne voit pas quelle assimilation faire entre la « fente » de la fillette et « l'appendice » extérieur du garçon.

Tout cela est le fruit de l'imagination d'un homme qui a voulu absolument établir un rapport de comparaison entre les deux sexes au lieu d'établir une constatation de différence radicale de l'un à l'autre.

Et il faudra attendre une autre recherche, venant d'une femme cette fois-ci, et disant tout autre chose : Luce Irigaray, en 1974, décide enfin de rompre la fidélité à un dogme freudien aussi peu conforme à la réalité, quitte à risquer l'incompréhension de ses collègues freudiens.

Sans doute dérangeait-elle les idées reçues et véhiculées dans la doctrine psychanalytique classique, et bousculait-elle un peu trop brutalement la tranquille assurance établie par Freud de la suprématie du sexe masculin.

L. Irigaray conteste que la féminité se fonde exclusivement sur l'envie et la jalousie du sexe mâle, elle va reprendre patiemment l'histoire de ce fameux « premier » regard évaluateur d'un sexe à l'autre, elle va s'élever contre le fait que cette constatation de la différence débouche sur une dévalorisation du côté féminin. « Pourquoi est-ce le terme "envie" qui vient à Freud ? Que choisit Freud ? Envie, jalousie, convoitise, correliées à manque de, défaut de, absence de... Tous ces termes décrivent la sexualité féminine comme simple envers, et même revers, d'un sexualisme masculin (...). "L'envie du pénis" (...) ne signifie rien d'autre que le mépris par la fillette, la femme, de son plaisir pour assurer un remède (...) contre l'angoisse de castration de l'homme [1]. »

Somme toute, la femme (d'après L. Irigaray) *serait vue* per-

1. Luce Irigaray, *Spéculum, de l'autre femme,* Ed. de Minuit, Paris, p. 58-59.

dante ou ayant perdu quelque chose, pour éviter à l'homme de *se voir* perdant, démuni de... Car il est bien vrai que l'homme n'est pas plus « tout » que la femme et qu'il ne présente, lui, que de vagues restes de féminité, avec ses seins atrophiés, sa matrice absente. Et cette analyste continue avec une logique indéniablement féminine cette fois-ci : « L'envie de l'avoir confirmerait l'homme dans l'assurance qu'il l'a (...). Sinon pourquoi ne pas analyser aussi l'"envie" du vagin ? De la matrice ? De la vulve ? etc. L'"envie" éprouvée par chaque pôle de la différence sexuelle "d'avoir un machin comme ça" ? Le dépit d'être en défaut, en manque, par rapport à un hétérogène, à un autre ? Le "préjudice" que vous aurait fait la nature, la mère, en ne vous pourvoyant que d'un sexe [1] ? »

L'envie, finalement, ne serait pas spécifiquement féminine, mais appartiendrait aux deux sexes et s'adresserait aux attributs sexuels de « l'autre ». Cela est largement confirmé par les jeux sexuels entre enfants, au cours desquels chacun cherche à voir ce que l'autre possède.

Et il semble que chacun s'en tire fort marri de constater qu'il lui manque quelque chose qu'il trouve chez l'autre, d'où les jeux de substitutions, où la place du coussin ou des balles réparatrices varie selon le sexe de l'enfant.

Freud à travers toutes ces élucubrations, à propos de l'envie de pénis, ne nous parlait-il pas de « son » envie de sein, de féminité, de maternité, de tout ce que nous avons et dont les hommes rêvent depuis toujours, et dont les poètes se font depuis toujours les porte-parole ?

Que d'élégies célèbres, que de vers précieux, que d'odes contemporaines, chantent en nos mémoires, célébrant ce fameux sein, lieu de tant de délices pour l'homme qui ne le possède, qu'autant qu'il le voit et le touche sur « l'autre ».

Que de regards à la dérobée (ce n'est pas moi qui l'ai dit), donc voleurs, de ce cher objet que l'homme ne cesse de convoiter :

« Cachez ce sein que je ne saurais voir » (Molière).

« Au moins, souffre que ma main
s'ébatte un peu dans ton sein » (Ronsard).

« Çà ! Çà ! Que je les baise et votre beau tétin... » (Ronsard).

1. Luce Irigaray, *Spéculum, de l'autre femme*, Ed. de Minuit, Paris, p. 58-59.

« Et son ventre et ses seins, ces grappes de ma vigne » (Baudelaire).

« Je touchai ses seins endormis
Sa poitrine pour moi s'ouvrit » (Garcia Lorca).

« Toute nue, toute nue, tes seins sont plus fragiles que le parfum de l'herbe gelée, et ils supportent tes épaules » (Eluard).

Ainsi la littérature n'a-t-elle jamais cessé de faire l'éloge de nos gorges, de nos seins, de notre taille fine, en un mot de tout ce que l'homme ne possède pas, et qu'il convoite en nous. Le lieu de l'envie masculine réside bien dans le sein, si régulièrement chanté, magnifié, revêtu de toutes les qualités de tendresse, plénitude et douceur, attribuées à la mère.

Mais peut-on inférer de l' « envie de sein » de l'homme l' « envie de pénis » chez la femme ? Qu'est-ce que cette nouvelle écriture psychanalytique venant s'inscrire à l'encontre de tant de siècles de poésie et de littérature ? Et qui me fera lire cette autre chanson, qui du côté des femmes, célèbre les charmes de l'homme ? Quand verrons-nous cette nouvelle poésie féminine, cette nouvelle littérature prenant pour objet le corps masculin et le pénis, dans ce qu'il a tour à tour de fragile et de fort ?

Car cet organe masculin, déclaré par Freud si enviable pour les femmes, n'est représenté, il faut bien le reconnaître, en art comme en littérature, que par des hommes : statuaire grecque, poterie étrusque, peintures de Picasso, Chagall, Dali, romans de D.H. Lawrence, H. Miller, etc.

Côté féminin, c'est le silence, la parole absente, ce cher objet si éminemment convoité ne figure nullement, ni sous la plume (sauf très récemment chez B. Groult, et la description n'a rien de flatteur) ni sous le pinceau des femmes.

Celui qui a un objet à envier c'est l'homme, c'est lui le jaloux, l'envieux, et c'est nous qui, par un étrange retournement de situation, nous trouvons affublées de ses défauts, comme le dit très justement A. Leclerc : « Nous avions un sexe chargé de tant d'événements, d'aventures et d'expériences, que l'homme aurait pu en pâlir d'envie, et voilà que c'est nous, si riches, dont on a réussi à faire des envieuses [1]. »

1. Annie Leclerc, *Parole de femme,* Ed. Grasset, Paris, p. 51.

Celle-ci n'hésite pas à faire changer l'envie de camp, lorsqu'elle nous convie aux joies sans cesse renouvelées du corps féminin... Et, en effet, il se pourrait bien que cette envie de pénis attribuée aux femmes ne soit envers, revers, de l'envie de sein de l'homme.

Sein que nous avons tous connu à l'origine, dans les bras de la mère, que nous avons perdu ultérieurement, et que nous rêvons toujours de retrouver. Perte que seule la femme se trouve en position de réparer, à la fois parce qu'elle le possède elle-même sur son propre corps, et ensuite parce qu'elle voit chez l'homme quelque chose qui lui est donné de même qu'autrefois la mère le donna. Ce que l'homme perçoit comme agression virile, la femme le reçoit comme sein généreux (pénis = sein). « Quand nous faisons l'amour, je suis pleine de toi, enchantée de toi, du chant de tes vagabondages, de la rumeur de tes exils, mais pas prise, pas ravie, mais là, plus que jamais là, et pleine, plus que jamais pleine [1]. »

Ainsi s'expriment les femmes lorsqu'elles prennent enfin la liberté de parler de leur sexualité, sans référence à ce que l'homme peut en imaginer : ni ravie, ni possédée, ni violée, mais enchantée, remplie, merveilleusement nourrie, telle se sent la femme au cours de l'amour. Certes elle a besoin pour cela du pénis de l'homme, mais elle n'a nulle envie, nul besoin de le détenir ; au contraire, ce qu'elle veut, c'est que l'autre lui en fasse cadeau, ce qu'elle veut c'est l'accueillir, le recevoir, en garder parfois le fruit.

Le « démuni », dans l'histoire, c'est l'homme, qui n'a aucun moyen de pallier la perte première, sinon en voyant et en touchant le plus possible de ces seins de femme (voir les hebdomadaires masculins et leurs photos). Affamé de seins tel est bien l'homme, et c'est son insatiable envie qu'il nous a refilée habilement, s'abusant et nous abusant en même temps.

Finalement, sous le contraste apparent entre la douceur de l'écriture des poètes-hommes et l'agressivité des écrivains féministes, se retrouve un seul et même fantasme, une seule et même envie : envie du sein maternel, à jamais perdu, et à retrouver sans cesse chez l'homme comme chez la femme. Mais poser cet axiome, c'est récuser toute la théorie phallocentrique du sexe, et

1. Annie Leclerc, *Parole de femme,* Ed. Grasset, Paris, p. 79

comme le dit encore A. Leclerc : « Ils ont inventé toute la sexualité dans le silence de la nôtre, si nous inventons la nôtre, c'est toute la leur qu'il leur faudra repenser. Les hommes n'aiment pas les femmes, pas encore, il les cherchent, ils les désirent, ils les vainquent, ils ne les aiment pas. Mais les femmes, elles, se haïssent [1]. »

Voilà qui ouvre encore un champ nouveau à la psychanalyse : non seulement il faut repenser la sexualité féminine, mais il faut expliquer cette haine de la femme pour « l'autre femme », il faut expliquer non la jalousie et l'envie du pénis, mais les désirs agressifs contre la mère, première des femmes rencontrées sur le chemin de la petite fille.

Le renoncement au clitoris

Le deuxième volet de la théorie freudienne sur la sexualité féminine ayant trait à l'usage du clitoris se verra démasqué plus radicalement encore, non seulement parce que mal démontré dès le départ, sans fondement anatomique véritable, ni étayage clinique, mais parce que toutes les expérimentations physiologiques et scientifiques pratiquées depuis s'inscrivent en faux contre cette théorie.

Les progrès de la recherche scientifique, le recours à la statistique (inexistante du temps de Freud), viendront facilement à bout d'un échafaudage qui n'avait pour but principal que de soumettre une fois de plus la femme au désir de l'homme : la *jouissance féminine* authentique serait donc soumise davantage à la *pénétration masculine* interne, au détriment des sensations clitoridiennes externes déclarées secondaires, accessoires ou névrotiques, argument dont les hommes n'ont cessé d'user couramment pour agir en fonction de leur propre désir, et en excluant toute demande possible de la part des femmes quant à leur propre jouissance.

Au siècle de l'informatique, on ne peut soutenir longtemps une thèse qui n'a rien à voir avec le réel. Or c'est ce que Freud avait prétendu faire. C'est une véritable « clitoridectomie men-

1. Annie Leclerc, *Parole de femme,* Grasset, p. 53.

tale » qu'il a tenté d'opérer, à coup de théorie : il n'est question en effet de rien d'autre que d'obtenir de la femme qu'elle renonce à une partie de son anatomie, considérée par l'homme comme masculine.

L'accès à la sexualité féminine passerait par le renoncement, préfiguration de tous ceux auxquels Freud nous conviera par la suite.

« Si l'on veut comprendre l'évolution qui conduit la petite fille à la femme, il faut suivre les différentes phases par lesquelles passe l'excitation clitoridienne. La puberté qui, chez le jeune garçon, amène la grande poussée de la libido, est caractérisée chez la fille par une nouvelle vague de refoulement qui atteint particulièrement la sexualité *clitoridienne*. Ce qui est alors refoulé, c'est un élément de sexualité mâle [1]. »

Où ne nous égarera-t-on pas si nous n'y prenons garde ? Autant nous dire que l'entité femelle n'existe pas chez les humains à l'état naturel, et qu'elle n'est qu'un ersatz obtenu à partir de l'anatomie masculine, et qu'elle ne peut exister aux yeux de l'homme qu'autant qu'elle aura renoncé à certaines parties de son corps jugées trop « masculines »...

C'est ce que ne manquera pas de relever notre courageuse et lucide avocate, L. Irigaray quand elle écrit : « Nous devons donc admettre que LA PETITE FILLE EST ALORS UN PETIT HOMME.

« La petite fille sera d'entrée de jeu, un petit garçon. Au commencement... la petite fille (n')était (qu')un petit garçon. Autrement dit IL N'Y A(URA) JAMAIS EU DE PETITE FILLE [2]. »

Pour augmenter ses chances de crédibilité, Freud imagine un changement de zone érogène, avec passage et transfert des sensations clitoridiennes au vagin, déclaré, lui, féminin, parce que sans doute utile à l'homme et à sa jouissance. Décidément dans tout cela « la femme n'existe pas », c'est bien ce que dit Lacan poussant un tout petit peu plus loin la chose. « Freudien » se déclare-t-il, moi je dirais tout simplement « œdipien », c'est-à-dire habité de souhaits de mort vis-à-vis de la femme.

Voilà comment Freud explique et rationalise une fois de

1. Freud, *Trois Essais sur la sexualité*, Ed. Gallimard, Paris, p. 130. Mots soulignés par l'auteur.

2. Luce Irigaray, *Spéculum, de l'autre femme*, Ed. de Minuit, Paris, p. 55.

plus le renoncement nécessaire au clitoris et l'investissement du vagin, réceptacle de l'homme : « Il se passe parfois un certain temps, avant que cette transmission ait lieu, pendant lequel la jeune femme n'est pas sensibilisée au plaisir (...). Quand la transmission de l'excitation érogène s'est faite, du clitoris à l'orifice du vagin, un changement de zone conductrice s'est opéré chez la femme dont dépendra à l'avenir sa vie sexuelle tandis que l'homme, lui, a conservé la même zone depuis son enfance. Avec ce changement de zone érogène qui semble supprimer le caractère de virilité sexuelle chez la petite fille, nous trouvons les conditions qui prédisposent la femme aux névroses et particulièrement à l'hystérie [1]. »

Malheureuse assimilation du clitoris à quelque chose de masculin qui engage Freud dans l'erreur, car à partir de là, les femmes se trouvent réduites à jouir avec une partie seulement du sexe : celle permise par l'homme. Alors, comment jouira-t-elle « elle », si ce n'est en s'identifiant au désir de l'« autre » ? Définition même de l'hystérie ; la femme aura seulement accès à une jouissance *hystérique.*

« *Il ne lui reste que l'hystérie.* La psychose ? névrose ? hystérique. Sur un suspens, dans un suspens, de l'économie de ses pulsions originaires, elle fera "comme" on lui demande. "Comme si" elle faisait ce qu'on lui demandait (...). Et le mime hystérique sera le travail de la fillette, de la femme, pour sauver sa sexualité d'une totale régression, disparition [2]. »

Effectivement, il semble que, partant de la renonciation à cette partie désirante d'elle-même, la femme s'engage sur le terrain du *mime,* de l'*aliénation* simulée à la jouissance de l'autre. Et l'homme, le premier, sera bien perplexe : jouit-elle ou fait-elle semblant de jouir selon ce qui lui a été recommandé ?

La femme est « prescrite » jusque dans son sexe, mais n'est pas « écrite » jusque dans sa jouissance, et c'est bien cela qui fait problème pour l'homme, car il n'est pas sûr d'avoir bien inventé la femme, et tant qu'elle ne voudra rien en dire, *il n'en saura rien.*

Jouissance réduite à celle de « l'autre », conforme au lieu de « l'autre » ou jouissance double qui échappe au contrôle de

1. Freud, *Trois Essais sur la sexualité,* Ed. Gallimard, Paris, p. 131.
2. L. Irigaray, *Spéculum, de l'autre femme,* Ed. de Minuit, p. 86.

l'homme ? L'homme est-il arrivé à rendre la femme prisonnière de son pénis, valeur première du système phallocratique, ou s'échappe-t-elle dans les voies mystérieuses d'une jouissance secrète ? Jouissance double, à cause d'un double organe, ou à cause d'un double fantasme (fantasme hystérique pour lui, fantasme auto-érotique pour elle ?).

Questions que l'homme ne cesse de se poser et de nous poser. Entre le mime du désir de l'autre et la vérité de son propre désir, il y a tout l'espace du « secret féminin » qui taquine tant l'homme... « Depuis le temps qu'on les supplie à genoux — je parlais la dernière fois des psychanalystes-femmes — d'essayer de nous le dire, eh bien, motus ! On n'a jamais rien pu en tirer [1]. »

Rage de celui qui ne peut pas savoir à *la place de l'autre,* et qui s'aperçoit, alors qu'il lui a tout ravi, qu'« elle » reste quand même la seule détentrice de son propre savoir. Pourtant n'avait-il pas pris toutes précautions pour l'écarter définitivement de cette affaire de jouissance, et de savoir sur la jouissance ? « Il y a une jouissance à elle, à cette *elle* qui n'existe pas et ne signifie rien. Il y a une jouissance à elle dont peut-être elle-même ne sait rien [2]. »

Ou patience infinie du bonhomme Freud qui revient encore à cet éternel clitoris (éternel pour elle, et qui fait problème pour lui) pour en dire exactement le contraire de ses théories habituelles : « Le clitoris quand il est excité (comment ? la femme n'y a donc pas renoncé malgré tous vos sages conseils ?) lors de l'acte sexuel, garde son rôle qui consiste à transmettre l'excitation aux parties contiguës, un peu à la façon d'un bois d'allumage, qui sert à faire brûler un bois plus dur [3]. »

Là, pour le coup, on s'arrête : est-ce bien Freud qui parle ? Y aurait-il contradiction entre le chercheur scientifique décidé à en finir à n'importe quel prix avec la sexualité féminine, et l'homme tout court qui reconnaît au cours du coït un rôle à ce curieux clitoris (peut-être celui de Martha fonctionnait-il encore, bien qu'elle fût la femme de Sigmund Freud ?). Après avoir été

1. *Séminaire* n° XX, Lacan, Le Seuil, p. 69.

2. ID., *ibid.*

3. Freud, *Trois Essais sur la sexualité,* Ed. Gallimard, Paris, p. 130.

à des lieues de la vérité, ne retrouve-t-on pas miraculeusement Freud aux côtés des scientifiques d'aujourd'hui ? En effet Master et Johnson s'expriment à peine différemment quand ils parlent du clitoris « déclencheur de l'orgasme » et ce sont des sexologues !

Le clitoris observé scientifiquement — au cours du coït et non plus imaginé dans une société phallocrate — se révèle comme organe richement innervé en corpuscules de Pacini (cellules sensitives présentes en plusieurs parties du corps, mais électivement regroupées sur le gland clitoridien et ses abords : grandes lèvres et petites lèvres).

Il est prouvé qu'il n'y a pas d'orgasme sans participation plus ou moins importante du clitoris. Le vagin, en revanche, est défini comme insensible, sauf dans son tiers inférieur. Les femmes s'évertuaient donc à jouir avec un organe impropre, à moins que, sans le dire, elles n'aient depuis toujours utilisé leurs sensations clitoridiennes. On ne le saura qu'autant que les femmes n'auront plus honte de parler de cet organe condamné par certains.

Et, comme d'habitude, c'est en Amérique que la honte a fondu le plus vite. Ce pays n'est pas écrasé par des siècles de patriarcat et cela se remarque parfois. En effet, vient de nous parvenir de là-bas le rapport Hite, lequel donnant la parole aux femmes pour ce qui est de leur sexualité, montre finalement l'importance qu'elles accordent au clitoris, vu par elles comme élément premier inaugurant toute autre jouissance.

La confusion introduite par les psychanalystes vient de fondre dans les mains des biologistes d'abord et des femmes ensuite. La femme au sexe « ravi » par la psychanalyse se le voit enfin réattribué.

Mais dites-moi, n'était-il pas un fieffé coquin, celui qui nous disait un jour : « Si vous voulez en savoir davantage sur la féminité, interrogez votre propre expérience, adressez-vous aux poètes, ou bien attendez que la science soit en état de vous donner des renseignements plus approfondis et plus coordonnés ? » Ce n'était autre que Freud lui-même, découragé de la complexité du problème féminin et quelque peu prophète, car nous venons d'obtenir des renseignements scientifiques décisifs. Quant aux poètes, il y a des siècles qu'ils nous avaient donné leur réponse.

Il nous reste donc à interroger aujourd'hui notre propre expérience d'analyste.

En effet, cette histoire freudienne a bien prouvé que nous ne pouvons pas compter sur l'homme pour raconter notre propre expérience.

Il n'a été que trop préjudiciable à notre état de femme de laisser les autres parler à notre place, et d'essayer de nous couler dans une autre parole que la nôtre.

Il faut enfin se montrer freudienne, et mettre en pratique son ultime conseil. Je dis « ultime » car, entre 1905 *Les Trois Essais sur la sexualité* et 1933 *Les Nouvelles Conférences psychanalytiques,* Freud avait beaucoup réfléchi sur cette prétendue symétrie entre les deux sexes, et il était revenu plusieurs fois sur ses dires, nous ouvrant, à maintes reprises, de nouvelles voies de recherche que, curieusement, les femmes n'ont pas voulu exploiter jusqu'ici.

Curieusement ou logiquement ? Car nous savons très bien pourquoi les femmes se sont tues si longtemps, et pourquoi encore, quand elles prennent la parole, elles savent qu'elles encourent quelque chose de l'ordre du rejet par l'homme.

Les femmes commencent à peine à se montrer telles qu'*elles sont,* et non telles que les hommes *les veulent,* peut-être ne les accepteront-ils plus et seront-elles renvoyées à elles-mêmes (solitude ou homosexualité) ? Il y a un risque à parier qu'on nous a appris à mesurer plutôt qu'à vaincre. Et bien souvent les femmes ont encore peur des souhaits mortifères des hommes à leur égard et préfèrent le silence à la mort.

Le Continent noir n'est ni noir ni inexplorable : il n'est encore inexploré que parce qu'on nous a fait croire qu'il était trop noir pour être explorable, et parce qu'on veut nous faire croire que ce qui nous intéresse c'est le Continent blanc avec ses monuments au Manque.

HÉLÈNE CIXOUS

3.

CONTINENT NOIR OU PLAGE BLANCHE ?

Finalement, après ce qui nous apparaît aujourd'hui comme un long réquisitoire contre la femme, était-ce bien son procès qu'avait tenté d'instaurer Freud ? Et n'avait-il pas, sans le vouloir, parlé uniquement de l'homme, et jamais de la femme ? Cette femme ENVERS de l'homme avait-elle quelque rapport avec celle que Freud avait vue et entendue pendant des années, dans sa pratique journalière ? Et de cette dernière savait-il seulement quelque chose ? C'est ce qu'il a paru mettre en doute, le jour où il écrivit à Marie Bonaparte : « La grande question, qui n'a jamais été éclaircie, et à laquelle j'ai été incapable de répondre, malgré trente années de recherches dans l'âme féminine, c'est : Que désire la femme ? »

Donc malgré tout ce qu'il en avait dit et redit, il ne se sentait guère avancé dans ses vieux jours, vis-à-vis du problème de la femme, et n'hésitait pas à le reconnaître publiquement en 1925 : « Nous connaissons moins bien la vie sexuelle de la petite fille que celle du petit garçon. N'en ayons pas trop honte : la vie sexuelle de la femme adulte est encore un Continent noir (*dark continent*), pour la psychologie [1]. »

Le voilà donc lâché, ce mot inquiétant, si connu de tous, ce propos subjectif, devenu subversif, car ce continent n'est NOIR que pour Freud (nous avons vu que pour les poètes, il se pare

1. Sigmund Freud, *Ma vie et la psychanalyse*, Ed. Gallimard, NRF, p. 133.

des plus riches couleurs) parce qu'il lui fait peur, comme tout ce qui était inconnu pouvait faire peur à Freud. Souvenons-nous qu'il était phobique des voyages à l'étranger (épisode de son voyage manqué à Rome) ; alors que dire du voyage chez l'« étrangère » que représente la FEMME pour l'homme ?

Cette couleur noire, nous renvoie à la NUIT, avec tous ses fantasmes plus ou moins terrorisants, ses génies maléfiques, ses visions mortifères, ses cauchemars terribles. La nuit, il peut tout nous arriver : nous sommes livrés sans défense aux puissances invisibles que nous repoussons si aisément le jour. Freud révèle ici sa terreur originelle de la femme, si bien dissimulée jusque-là dans une théorie, ayant pour objet principal de « la » tenir dominée ; cela équivaut à dire que ses concepts concernant la femme n'étaient pas fondés sur des *faits féminins,* mais sur des *craintes masculines.*

Il n'a pas été le seul à exprimer des propos réducteurs vis-à-vis des femmes, souvenez-vous du très célèbre « La femme n'est pas TOUTE » de Lacan, signalant que lui aussi a été saisi de la crainte qu'elle ne fût TOUTE, cette femme au ventre plein de promesses, alors que l'homme se voit UN à jamais.

Ensuite de ce NOIR terrorisant, Freud est passé au BLANC, aveugle, mystère non explorable, secret non dévoilé ; à propos de la femme n'évoque-t-il pas la civilisation minoé-mycénienne ? Ne remonte-t-il pas le temps, comme affolé de ce qu'il pourrait découvrir s'il regardait celle qu'il a sous ses yeux journellement ?

Dès qu'il s'agit des femmes, ou c'est l'invention pure et simple, ou c'est la panique, et Freud va du noir au blanc, de l'informulé à l'informulable : « Tout ce qui touche au domaine de ce premier lien à la mère, m'a paru si difficile à saisir analytiquement, si blanchi par les ans, vague, à peine capable de revivre, comme soumis à un refoulement particulièrement inexorable [1]. »

Mais pourquoi ne parle-t-il ainsi qu'à propos des femmes ? Les hommes se souviendraient-ils mieux de l'utérus, et des bras qui les portèrent ? Ce n'est pas ce que nous révèle la clinique.

1. Freud, *La Vie sexuelle,* PUF, Paris, p. 140.

Non, tout simplement, Freud, s'il renonce dans *Les Nouvelles Conférences* à faire disparaître la femme comme à l'accoutumée, se sent obligé de la tenir très loin ; à la cave (noire) ou au grenier (blanc de la poussière des années écoulées), elle sera toujours mieux située pour lui que dans le « face à face ». Car comment envisager le face à face avec celle qu'il avait adorée dans un premier temps, pour l'écarter ensuite au bénéfice d'une autre ?

Dilemme proprement masculin qui a obligé Freud à soutenir pendant des années une théorie qui écartait toujours davantage la femme de l'homme.

Est-ce pur hasard, si ce n'est qu'après la disparition de sa mère (Amalie, la mère de Freud, vécut très longtemps et ne mourut qu'en 1930 ; lui-même avait alors soixante-quatorze ans et devait mourir quelques années plus tard) que Freud, en 1931, au cours d'une nouvelle conférence sur la sexualité féminine, osera enfin changer d'attitude envers la femme et se poser de nouvelles questions sur elle ? Renonçant enfin à la lutte qui avait occupé sa vie, c'est-à-dire la lutte contre la Mère et contre la Femme, et cessant de s'appuyer sur des arguments séculaires, tels que son infériorité sociale, et son rôle familial et maternel, il en vient à ne plus se servir de sa conformation sexuelle féminine pour expliquer son infériorité patriarcale. C'est alors que se posent les vrais problèmes encore inabordés par Freud, car si la femme cesse d'être vue comme celle qui rejette ce qu'elle a pour envier ce que l'homme possède, qu'a-t-elle en vérité ? Et que vit-elle ? Freud arrive bien tardivement à la question primordiale : Que vit la petite fille face à sa mère ?

Il regarde enfin celle qu'il avait préféré imaginer plutôt que de la voir telle qu'elle était : *elle ne relève d'aucun des axiomes posés pour le garçon ;* en particulier, le statut œdipien, sur lequel repose toute la structure masculine, n'existe pas pour elle. L'énoncé principal, à savoir : « Le premier choix de l'objet que fait l'enfant est un choix incestueux », ne s'applique pas à la fille élevée par sa mère de même sexe qu'elle. « Nous avons l'impression que tout ce que nous avons dit du complexe d'Œdipe se rapporte strictement à l'enfant de sexe masculin, et que nous avons le droit de refuser le nom de complexe d'Electre qui veut insister sur l'analogie entre les deux sexes [1]. »

Et voilà Freud, au crépuscule de sa vie, reconnaissant qu'il n'a soulevé qu'un coin, un côté du rideau de la tragédie œdipienne : Jocaste et ses filles sont restées dans l'ombre, hors portée des projecteurs, mais Freud n'a plus ni le temps ni le courage de les rallumer, pas plus que de relire Sophocle qui avait lui-même évoqué le statut bien différent des filles et des garçons, ainsi que le malheur des filles-objets devenues « inmariables » du fait du crime de leur père : « De mes fils, Créon, ne prends pas souci. Ce sont des hommes... Mais de mes pauvres filles, de celles-là je t'en supplie, prends soin [2] ! »

Si Sophocle avait marqué une différence, Freud s'était révélé impuissant à l'expliquer correctement, et finalement il en conclut : « Dans l'ensemble, on doit avouer que notre intelligence des processus de développement chez la fille est peu satisfaisante, pleine de lacunes et d'ombre [3]. »

Notre surprise est grande : est-ce le même homme qui parle, celui qui a tant voulu établir la symétrie de départ entre fille et garçon ? Il reconnaît donc, d'une part, que de symétrie il n'y a pas d'un sexe à l'autre et, ensuite, que de l'évolution de la fille il ne sait rien. A partir de ces deux constatations, il va se poser des questions :

« Nous avons une autre question : *que réclame la petite fille* de sa mère ? De quelle nature sont ses buts sexuels à l'époque du lien exclusif à la mère [4] ? »

« *La phase de lien exclusif à la mère,* qui peut être nommée *pré-œdipienne,* revendique ainsi chez la femme une importance bien plus grande que celle qui lui revient chez l'homme [5]. »

« Le complexe d'Œdipe de la petite fille recèle un *problème de plus* que celui du garçon. Au début, la mère était, pour l'un comme pour l'autre, le premier objet et nous n'avons pas à nous étonner du fait que le garçon le conserve pour son

1. Freud, *La Vie sexuelle,* PUF, Paris, p. 142.
2. Sophocle, *Œdipe roi.*
3. Freud, *La Vie sexuelle,* PUF, Paris, p. 122.
4. ID., *ibid.*, p. 148.
5. ID., *ibid.*, p. 144.

complexe d'Œdipe. Mais qu'est-ce qui amène la petite fille à y renoncer, et à prendre pour cela le père comme objet[1] ? »

« Il en va tout autrement pour la petite fille. Elle avait pour objet premier sa mère ; *comment trouve-t-elle son chemin* jusqu'à son père ? Comment, quand et pourquoi s'est-elle détachée de sa mère[2] ? »

En voilà brusquement des questions, en voilà des pistes ouvertes pour vos successeurs à venir !

« Enfin, je ne suis plus tout seul, une légion de collaborateurs zélés est prête à exploiter ce qui n'est pas achevé, ce qui n'est pas certain[3]. »

Et s'il y a quelque chose qui n'a jamais été certain pour Freud, c'est bien l'évolution de la fille en femme ; s'il y a une chose sur laquelle il est revenu sans arrêt pour se corriger, c'est bien la sexualité féminine. Mais croire que ses successeurs allaient exploiter ce qui n'était pas achevé, et redonner en particulier à la femme un statut sexuel plus juste, c'était pure utopie dans une société si fortement marquée du pouvoir de l'homme. Et la suite fut bien pis que le commencement ; les choses, au lieu d'être repensées du côté de la fille, se sont vues aggravées, et le *Penisneid* (envie de pénis) a fait son chemin à tel point que la femme a été réduite à cette énorme envie :

« L'essence de la rêveuse est le "petit autre" en l'occurrence, le frère, et l'essence de ce petit autre est le phallus[4]. » « Une femme se fait mère pour réaliser ce PENISNEID, et le désir de la mère, c'est de le rester... Tous les autres substituts, pour une femme, pâlissent en face de l'équation pénis-enfant[5]. »

C'est bien cela, nous y re-voilà déjà à cette équation qui n'a rien de nouveau, puisqu'elle avait déjà été suggérée par Freud : Pénis = enfant. C'est ce qui paraît le mieux convenir à ces messieurs même si ces dames font la grimace depuis quelque temps. Eux continuent dans le droit fil de leur désir :

1. Freud, *La Vie sexuelle*, PUF, *Paris*, p. 126.

2. ID., *ibid.*, p. 139.

3. ID., *ibid.*, p. 124. (Dans toutes ces citations, c'est l'auteur du présent ouvrage qui souligne.)

4. Mustapha Saphouan, *La Sexualité féminine*, Ed. du Seuil, Paris, 1976, p. 101.

5. Robert Pujol, *La Mère au féminin*, Nouvelle Revue française de psychanalyse, n° 16, 1977.

il faut que nous soyons circonscrites à la Maternité et exclues formellement de tout autre lieu tel que Culture ou Sublimation. Et là, l'homme ne va pas mâcher ses mots, ni lésiner sur l'expression. Mais lisez plutôt : « La question du sens, et de la signification de la vie, est une question masculine. La femme n'est pas habitée par cette question [1]. »

« Il n'y a de femme qu'exclue par la nature des choses qui est la nature des mots... Simplement elles ne savent pas ce qu'elles disent, c'est toute la différence entre elles et moi [2]. »

« La femme représente la castration généralisée, que le vivant reçoit du verbe, en tant que le pénis lui manque, elle représente l'aliénation absolue de la parole [3]. »

On peut lire encore, si lire ne nous est pas interdit comme une des voies de la Sublimation :

« Si les femmes savent quelque chose, la psychanalyse a-t-elle quelque chose à faire de ce qu'elles sauraient [4] ? »

La jalousie vis-à-vis de la Maternité a égaré l'homme-psychanalyste, l'*Uterusneid* l'a aveuglé, rendu sourd à toute logique. Mais parmi les successeurs de Freud, il y avait aussi des femmes et il les avait interpellées. N'avait-il pas écrit à Marie Bonaparte : « Que désire la femme ? » et, parlant de la relation mère-fille répétée dans le transfert, il avait dit : « Il apparaît en vérité, que des femmes analystes, comme Jeanne Lampl de Groot et Hélène Deutch ont pu percevoir plus aisément et plus clairement cet état de choses [5]. »

Que sont devenues ces femmes-analystes, quelle position ont-elles prise par rapport au dire masculin ? Eh bien, à peu de chose près, elles se sont ralliées aux idées de l'homme, elles ont fait semblant d'y croire à ce pénis tronqué, à cette « envie du pénis », elles ont mimé ce que l'homme attendait d'elles, et il y a eu Hélène Deutch pour dire que « le renoncement est typiquement féminin... ». Il y a eu Marie Bonaparte pour se pen-

1. Robert Pujol, *La Mère au féminin,* Nouvelle Revue française de psychanalyse, n° 16, 1977.

2. Jacques Lacan, *Séminaire,* n° XX, p. 68.

3. Robert Pujol, *La Mère au féminin.*

4. Wladimir Granof, *La Pensée et le féminin,* Ed. de Minuit, Paris, 1976, p. 304.

5. Freud, *La Vie sexuelle,* PUF, Paris.

cher sur ce petit organe tellement « temporaire » que serait le clitoris, et auquel la femme « devrait » renoncer, malgré les difficultés que cela pouvait soulever. Il y a eu Jeanne Lampl de Groot pour écrire : « L'amour féminin est passif » et Ruth Mack Brunswick un peu plus tard pour reprendre l'idée de Freud : « Au début de sa vie sexuelle la petite fille est, dans toutes ses intentions et ses buts, un petit garçon [1]. »

Pourquoi donc toutes ces femmes-analystes, autres successeurs de Freud, ont-elles laissé subsister l'erreur du côté de la sexualité féminine, alors que Freud comptait sur elles pour ébaucher une autre théorie qui rendît mieux compte de la femme ? On peut certes s'en irriter, mais on peut se dire aussi qu'il était sans doute difficile d'être la fille d'un père aussi changeant que l'a été Freud avec les femmes...

Car tout cela venait fort tard, après des affirmations si péremptoires, des démonstrations si surprenantes, que les femmes (même analystes), plongées dans la stupéfaction et l'horreur d'un tel destin, sont restées muettes. Demande-t-on à quelqu'un à qui on vient de couper la tête de crier encore son nom ? C'est à peu près cela que demandait Freud à ses contemporaines.

Que Freud à la fin de sa vie ait voulu rendre la liberté à l'oiseau, cela est évident, mais les féministes lui reprochent de lui avoir coupé auparavant soigneusement tout ce avec quoi on peut voler. Et Lacan ne cherche-t-il pas à nous voler encore la parole lorsqu'il dit que nous ne savons pas ce que nous disons ?

Les psychanalystes-hommes n'ont jamais considéré comme vol le fait de prendre une parole qu'ils revendiquaient comme leur, alors que, ce faisant, ils parlaient à *notre place* et nous volaient, en même temps que notre parole, notre sexualité qu'ils enfermaient dans le cadre de leurs fantasmes d'hommes.

Et si Freud a découvert le piège par lui introduit, cela n'a pas empêché le phénomène de continuer sur sa première lancée, car de Freud on n'a repris après sa disparition que ce qu'il avait lui-même longuement explicité et puis reconnu parfois sans fondement.

La psychanalyse n'a cessé de se parler, de s'écrire au *mas-*

1. Ruth Mack Brunswick, *La Sexualité féminine*, Ed. Payot, Paris.

culin, et dans un langage s'éloignant de plus en plus de son créateur. A croire que son objet est si explosif qu'il y a tout intérêt à le dissimuler derrière les barrières infranchissables d'un langage hermétique : savez-vous qu'il n'y est parfois question de rien de moins que de rayer de l'existence les êtres sexués en « femme » ?

Savez-vous qu'un de ces psychanalystes a dit « ~~La~~ femme n'existe pas » et qu'il adore écrire ~~LA~~ FEMME rien que pour le plaisir de barrer le LA qui nous fait appartenir au genre féminin, sous prétexte que ce genre n'a pas droit à la parole ?

« Cher Sigmund Freud,

« Je vous écris pour vous dire que, depuis votre départ, la plupart de vos successeurs ont négligé de reprendre vos dernières suggestions, et que vos ultimes réflexions ont été reléguées au grenier de la psychanalyse, où je me trouve assise aujourd'hui avec tous vos documents épars autour de moi. Je relis en ce moment votre ultime conférence sur la sexualité féminine datée de 1931 et je m'émerveille de la nouveauté de vos interrogations par rapport au rabâchage psychanalytique auquel nous sommes habitués.

« Je m'aperçois que vous en aviez semé sur notre route, de ces petits cailloux blancs qui auraient pu nous ramener à la maison du Père, au lieu de nous laisser dévorer par l'homme-ogre sexiste qui n'a jamais cru bon de devoir tenir compte de votre dernière mise en garde, et a préféré, dans son intérêt, utiliser contre nous la première partie de votre recherche ayant trait à notre infériorité sexuelle supposée.

« Cet homme, quand il est en colère, ne parle-t-il pas régulièrement de nous renvoyer "chez notre mère" mais jamais "chez notre père" car nous n'avons en fait jamais vécu avec lui, le père, bien qu'il ait habité la même maison que nous... Et notre demeure première est toujours celle de notre mère : n'est-ce pas ce que vous nous aviez expliqué comme constituant de notre personnalité profonde et peut-être gênant pour notre futur conjoint ? "Le mari devrait hériter de la relation au père et il hérite en réalité de la relation à la mère [1]*."*

1. Freud, *La Vie sexuelle*, PUF, Paris, p. 144.

« Cette première demeure, vous lui aviez même donné un nom : le "pré-Œdipe", mais cela n'a servi qu'à nous faire reprocher encore plus vigoureusement par vos successeurs le fait de ne pas appartenir à la maison œdipienne masculine, et a eu pour effet de nous écarter de bien des choses. Ne peut-on imaginer que si vous reveniez aujourd'hui vous mettriez la même énergie à protéger notre pré-Œdipe que celle qu'ils emploient à nous reprocher notre manque d'Œdipe ?

*« Vous ignorez peut-être qu'en ce moment se dessine chez les femmes l'idée que l'homme serait habité par l'*uterusneid *et que ce serait là l'origine de sa jalousie et de sa guerre acharnée contre le sexe féminin et de sa campagne pour l'enfant. Il faut dire que le* penisneid *est remis en question du fait que très souvent la femme de notre époque refuse l'enfant, pour lui préférer d'autres activités. Ces activités sont-elles aussi des* penisneid *? Il y a là une foule de nouveaux problèmes à étudier et tout ce qu'on peut dire, c'est que le "malaise dans la civilisation" paraît se tenir du côté de la place à faire à l'enfant puisque la dénatalité s'amorce, ce qui ne va pas sans inquiéter nos gouvernements... »*

Voilà à peu près ce qu'une femme pourrait aujourd'hui écrire à M. Freud. Si tant est qu'elle ne se soit pas laissé abuser par la haine féministe vis-à-vis de ce monsieur. Car ce n'est pas tant à lui qu'il faut en vouloir qu'à ses successeurs. Ils l'ont trahi, reprenant en chœur, hommes et femmes, l'hymne sexiste du trop petit pénis et de l'infériorité féminine.

Et dans les milieux analytiques, le jeu le plus en vogue n'est-il pas encore et toujours ce fameux *penisneid,* au cours duquel les hommes se divertissent infiniment plus que les femmes. Lesquelles font semblant de rire avec eux, de peur d'être tenues à l'écart si elles ne jouent pas selon la règle (qui n'est pourtant pas la leur). Mais il semble que, depuis quelque temps, le masochisme ne soit plus ce qu'il était chez les femmes, et qu'elles réclament d'autres jeux, soutenus par d'autres règles, qui ne prendraient pas obligatoirement comme enjeu le pénis masculin. Après tout, Freud n'a-t-il pas découvert les règles sous-jacentes à une foule de jeux dont nous usions jusque-là en toute innocence ? Celui de la bobine n'est-il pas un des plus connus (l'enfant symbolise l'absence de la mère au moyen d'un objet qu'il envoie au loin, pour le récupérer l'instant d'après), suivi de celui des lapsus (notre bouche nous joue le tour de dire ce que nous pensons en vérité et qui n'est pas ce qu'il conviendrait de dire), sans parler de celui des rêves (la nuit est pleine de niches, de tours de passe-passe, de substitutions, de morts qui nous arrangeraient bien) ?

Ne pourrait-on trouver, en relisant mieux les derniers écrits de Freud, le début des règles qui régissent le JEU (JE) de la femme ?

N'y a-t-il pas dans le livre de *La Vie sexuelle* l'indication d'une sorte de jeu mère-fille : le jeu de cache-cache pré-œdipien féminin ? Par quelles voies, à la suite de quelles règles, la fillette sort-elle de sa cachette maternelle ? Que voyait-elle de là ? Par la suite rentrera-t-elle dans le domaine chasse-gardée de l'Œdipe masculin ? Le fera-t-elle avec son père ? avec son frère, avec son ami ? Quelles sont les conséquences de ce long séjour dans cette cachette « noire » ? « Noire » comme l'a dit Freud ou « blanche » ?

Autant de questions qui se posent à nous psychanalystes-femmes. En effet, à la suite de la constatation du manque de symétrie entre les sexes, la femme peut-elle être incluse dans l'Œdipe tel qu'il a été défini pour l'homme ? L'objet incestueux pour elle : le père, étant absent auprès d'elle, comment se fixe la libido féminine dans un premier temps ? Si elle ne trouve pas de fixation possible dans le réel, sa Sublimation (dérivation de la libido vers d'autres objets) va-t-elle s'en trouver activée ?

Enfin, grâce aux analystes-femmes de notre époque, le dossier enfermé au grenier est rouvert et Jeannine Chasseguet-Smirgel y écrit : « Embaumer quelqu'un n'équivaut pas à le maintenir en vie. La seule façon que nous ayons de faire vivre Freud parmi nous, est de développer sa découverte, d'en discuter les aspects hasardeux, d'en approfondir certains points, à l'aide de la méthode qu'il nous a léguée. Celui qui n'est pas envahi par la haine et la crainte d'un mort, n'est pas obligé de passer son temps à lui élever un tombeau pour calmer ses mânes (et accessoirement l'étouffer sous le poids du granit)[1]. »

Cette analyste dénonce le vrai problème des successeurs de Freud : le meurtre du père, comme par hasard, c'était le problème de Freud lui-même, et c'est le problème de chaque mâle vis-à-vis de son rival œdipien (lire pour plus de compréhension le remarquable livre de François Roustang[2] sur la question : il y parle de la « horde sauvage » vécue par les analystes du vivant de Freud).

Les psychanalystes n'échappent pas, malgré ce qu'ils en savent, à la loi œdipienne. Mais les femmes donc ? Qui les a tenues au silence ? Quelle crainte les a empêchées d'aller plus loin ? Si ce n'est la peur millénaire de déplaire à l'homme ?

Si la science analytique n'a pas davantage évolué et n'a fait que se répéter, c'est parce que s'est vécue dans le champ psychanalytique la structure œdipienne de type patriarcal qui fait dire à l'homme : « Je ne tuerai pas le père », et à la femme : « Je ne déplairai pas à l'homme... »

L'homme craint tout de ses pareils, la femme craint tout de l'homme, là est la différence où s'inscrit leur double silence par rapport à Freud.

La psychanalyse depuis soixante-dix ans s'est développée sous la forme : comment parler, sans dépasser le père ? Cette forme que nous retrouvons dans le champ lacanien, et qui stérilise cruellement les adeptes de ce qui est devenu une « religion », instaurée par un nouveau « pape », aussi intouchable que l'a été Freud en son temps. Il faut croire que le mythe du Père, origine de la Loi, a la vie dure !

Mais peut-être existe-t-il ailleurs, en réserve, quelque part, sauvé du naufrage œdipien et des souhaits de mort de l'homme, un langage nouveau (pré-œdipien celui-ci) qui n'a pas de compte à régler avec le père, donc avec la mort, mais prétend à la vie. Peut-être est-ce le langage naissant des femmes ? Car si nous n'avons pas grand-chose à dire du côté du Père mythique, nous avons tout à découvrir du côté de la Mère réelle.

1. Jeannine Chasseguet-Smirgel, *Revue française de psychanalyse*, nᵒˢ 1-2, 1975.

2. François Roustang. *Un destin si funeste*. Ed. de Minuit, Paris, 1976.

Que faisons-nous dans ce « Continent noir » où l'on nous a tenues si longtemps enfermées ? Qu'y voyons-nous ? Nos souvenirs sont-ils si « blanchis » par le temps qu'on nous le dit ? Et nous contenterons-nous encore longtemps d'être des femmes sans mémoire, évoluant dans un continent impossible à décrire ?

Entre le BLANC de l'ange et le NOIR de la sorcière n'y a-t-il pas place pour d'autres teintes plus féminines ? Le rouge du sang, de l'enfantement, et celui du désir et celui de l'amour ?

Le complexe d'Œdipe est quelque chose de si important, que la manière dont on a donné dedans et dont on en est sorti, ne peut pas ne pas avoir de conséquences.

SIGMUND FREUD

4.

LE DIFFÉRENT ŒDIPIEN ORIGINE DE TOUS LES DIFFÉRENDS...

Symétrie-asymétrie de l'évolution de la fille et du garçon, tel est le problème que Freud nous a laissé le soin de débattre à sa suite, sa conclusion ultime ayant été : « Nous avons renoncé depuis longtemps à nous attendre à un parallélisme étroit entre le développement sexuel masculin et féminin. »

Si nous prenons la peine de relire ses derniers écrits concernant la sexualité féminine, il ne nous est pas difficile *a posteriori* d'y voir le canevas, l'ébauche de cette fameuse différence des sexes, que Freud a toujours voulu faire remonter à une éventuelle comparaison de corps entre enfants, alors que, curieusement, il avait tout en main pour l'expliquer autrement : il suffit de remettre dans l'ordre ce qu'il a énoncé dans le désordre pour obtenir à peu près ce discours :

« Faites-y bien attention, le plus curieux dans la vie sexuelle de l'enfant me paraît être ceci : il accomplit toute son évolution dans les cinq premières années de sa vie... [1]. »

« Dans les premières années de l'enfance s'établit la relation du complexe d'Œdipe, au cours de laquelle le petit garçon concentre ses désirs sexuels sur la personne de sa mère [2]. »

« Le premier choix de l'objet que fait l'enfant est donc un choix incestueux [3]. »

« Il ne nous est pas difficile d'aboutir à ce résultat pour le

1. 2. 3. Freud, *Ma vie et la psychanalyse,* Ed. Gallimard, N.R.F., Paris, p. 131, p. 46, p. 46.

garçon : sa mère était son premier objet d'amour, elle le reste... [1]. »

« Il en va autrement pour la petite fille. Elle avait pour objet premier sa mère ; comment trouve-t-elle son chemin jusqu'à son père ? Comment, quand et pourquoi s'est-elle détachée de sa mère [2] ? »

« Le complexe d'Œdipe de la petite fille recèle un problème de plus que celui du petit garçon [3]. »

« La relation fatale de la simultanéité entre l'amour pour l'un des parents et la haine contre l'autre, considéré comme rival, ne se produit que pour l'enfant masculin [4]. »

L'Œdipe est donc l'histoire du désir sexuel inconscient : très belle ou très triste histoire, selon qu'on la tient comme préalable à toute histoire d'amour, ou comme responsable de toutes les difficultés de l'amour.

Mais, « faites-y bien attention », cet Œdipe, croisement « incestueux » des sexes — désir du garçon pour sa mère et de la mère pour son fils —, n'existe que d'un côté : dans notre société, cet inceste déclaré « présent et actif dans l'enfance de l'individu » par Freud lui-même, n'imprègne que l'air que respire le bébé-garçon élevé par sa mère, ou une autre femme.

Qu'en advient-il de la fille à la même époque, elle qui, élevée par sa mère, écartée de l'objet incestueux que serait le père, ne connaît pas le croisement de sexe ? Est-ce un air vide que respire alors cette fillette qui présentera si souvent plus tard des craintes du vide, des boulimies effarantes ou des anorexies retentissantes ? Il y a bien trop de choses de ce côté-là chez les femmes (le vide et le plein), pour ne pas se poser la question : de quoi se remplit psychiquement la fillette quand elle reçoit un biberon donné par une femme qui ne la désire pas, puisqu'elles sont du même sexe toutes deux ? La petite fille peut-elle se « contenter » de sa mère ? Il semble bien que non, puisque à la suite de cette première histoire avec une autre femme, nous retrouvons la plupart des femmes attachées au désir de l'homme.

Comment en sont-elles arrivées là ? Leur rapport au désir doit avoir une bien singulière histoire pour les amener à payer

1. 2. 3. 4. Freud, *La Vie sexuelle*, PUF, Paris, p. 139, p. 139, p. 126, p. 142.

n'importe quel prix afin de ne pas quitter ou ne plus quitter l'orbite du désir masculin. Tenir tant à sa position d'« objet désiré » jouera bien des tours à la femme, en particulier la transformera en proie idéale pour toutes les idéologies qui arrangent l'homme.

Ce matin une femme m'a dit : « Si *on* me désire, c'est que je ne suis pas *rien.* » De quel « rien » se souvient-elle ? Et quel est cet « on » qui peut la désirer, sinon l'homme ? Homme que l'on cherche en vain dans la vie de la fillette, car le père est absent d'auprès du berceau et de toute façon n'a pas fonction de s'occuper d'elle.

Comment ne pas voir que la « fatale » relation œdipienne n'existe pas pour la fille pendant de longues années ? Où est pour elle le lieu de rencontre avec l'homme, désirant d'elle et de son sexe ? Certainement pas sur la table de change. Ni à la maternelle où c'est le règne des femmes.

Dans quelle nouvelle littérature, dans quelles étranges bandes dessinées (si ce n'est celles de C. Brétecher), voyons-nous le père « paternant » son enfant ? Lui donnant le biberon ou s'occupant de lui quand il est sale ? Cela n'existe encore qu'à titre d'exception, à titre de contestation. Car, dans l'ensemble, l'homme ne le souhaite pas. Et, s'il le souhaitait, la femme le tolérerait-elle ? L'homme et la femme participent d'un commun accord à une sorte de distribution des rôles où l'homme, ayant écarté la femme de la fonction sociale, lui assigne la seule fonction familiale. Le sexisme à l'intérieur de la famille figure de façon aussi intransigeante qu'à l'extérieur.

La femme est face à l'enfant, l'homme est face à l'argent. Qui le niera dans un pays où l'on demande depuis plusieurs années un salaire maternel et où l'on refuse toute proposition concernant un congé de longue durée paternel ?

Le père, dans nos pays latins, n'est pas destiné à s'occuper du « petit », que ce soit le sien ou celui des autres. Il est absent de l'éducation du jeune enfant, et il lui faut une étrange obstination pour y figurer ! Aussi bien auprès de ses collègues hommes qu'auprès de sa femme qui ne lui délègue qu'en partie des fonctions qu'elle prend pour sa vocation native et naturelle comme on le lui dit si souvent.

L'homme, lui, semble avoir pour fonction principale de rapporter l'argent pour alimenter les différents protagonistes du drame qui se joue sous son toit et dont il ne fait en général pas partie. L'enfant et sa névrose, c'est toujours une histoire racontée par la mère, rarement par le père qui laisse cela à sa femme (c'est même la seule chose qu'il lui laisse). Tout le reste, il le prend en charge, et quand il rentre le soir, ce qu'il demande c'est qu'on le décharge ; ce qu'il ambitionne c'est la paix, comme s'il ne pouvait supporter la guerre et comme si elle était son pain quotidien, comme s'il n'avait affaire qu'à la guerre aussi bien à l'extérieur qu'à l'intérieur de la famille.

Qu'en est-il du rapport de l'homme à la guerre, de celle qu'il livra autrefois à la mère, de celle qu'il retrouve aujourd'hui entre sa femme et son fils ? De la relation mère-enfant a-t-il un si mauvais souvenir qu'il ne veuille à aucun prix y replonger ? De ce « choix incestueux » qui fut le sien a-t-il conservé une telle marque qu'il ne veuille d'aucune manière s'interposer entre sa femme et son fils ?

De la mère toute-puissante a-t-il encore quelque crainte, lui qui n'ose s'opposer à elle dans le pouvoir qu'elle a pris sur leur fils ? N'est-ce pas le souvenir de la GUERRE qui déclenche aujourd'hui chez lui l'aspiration à la PAIX ?

Aussi, au nom de son Œdipe à lui, va-t-il négliger celui de son fils, et rendre impossible celui de sa fille.

Le plus souvent, il préfère la lecture et le récit des guerres et conflits extérieurs à la famille, il se plonge dans le journal, il réclame le silence autour de la télé, obligeant chacun à refouler ses conflits personnels au bénéfice des difficultés nationales et internationales. Quel étrange père avons-nous là, qui a désiré des enfants pour ne pas s'en occuper ! Quelle étrange mère connaissons-nous qui se réjouit d'avoir à elle seule toute la charge des enfants ! N'empêche que ça ne doit pas aller si bien ce système, puisque, paraît-il, des enfants, on en veut de moins en moins.

Cette rigidité des rôles familiaux, cette éducation monosexuée, qui peut en parler sinon l'analyste, qui voit atterrir dans son bureau des femmes presque toujours seules avec l'enfant (et contentes de l'être) ? La névrose de l'enfant, ce n'est pas l'affaire du père, sauf si le psychanalyste insiste vraiment.

Cet enfant, désir des deux parents, devient par sa naissance au sein d'une famille patriarcale « objet de la mère », uniquement. Et rares sont les femmes qui ne se croient pas irremplaçables éducatrices de l'enfant et ne prennent pas l'homme pour un incapable !

Mais qui leur a mis ces idées en tête sinon l'homme lui-même qui, dans son acharnement à éviter la femme, a réparti les charges entre l'extérieur et l'intérieur ? Se réservant l'extérieur, il a abandonné l'intérieur à sa femme, de sorte qu'ils ne se rencontreront jamais plus, pense-t-il, sur le même terrain.

Certes, mais le terrain ainsi livré aux femmes n'est-il pas énorme, géant, sans commune mesure avec le territoire de l'homme, car si tout le travail de l'homme gravite autour du bien-être et de la consommation, l'œuvre de la femme n'est-elle pas d'éveiller l'appétit et les appétits du futur consommateur ?

Freud s'y est-il trompé un seul instant ? Qu'elle le veuille ou non, qu'elle le sache ou non, la mère inaugure ainsi toutes les sensations du bébé, toutes ses jouissances, c'est d'elle qu'il va les apprendre, jusqu'à cette masturbation, régulièrement observée chez l'enfant et qui ne fait que prendre le relais de celle que faisait innocemment la mère : « Les rapports de l'enfant avec les personnes qui le soignent sont, pour lui, une source d'excitations et de satisfactions sexuelles, partant des zones érogènes. Et cela d'autant plus que la personne chargée des soins (en général, la mère) témoigne à l'enfant des sentiments dérivant de sa propre vie sexuelle... Il est probable qu'une mère serait vivement surprise si on lui disait qu'elle *éveille* ainsi par ses tendresses la *pulsion sexuelle* de son enfant, et en détermine l'intensité future... D'ailleurs, si la mère était mieux renseignée sur l'importance des pulsions dans l'ensemble de la vie mentale, elle éviterait de se faire le moindre reproche. Car elle ne fait qu'accomplir son devoir, quand elle apprend à aimer à l'enfant, qui doit devenir un être complet et sain, doué d'une sexualité bien développée... [1]. »

Peut-on indiquer plus clairement que la mère, en matière d'érotisme, est la première initiatrice et que le plaisir de l'enfant est une réponse à celui de la mère ? C'est là que son désir génital à elle va apparaître comme déterminant de l'éveil sexuel du bébé. Il semble qu'après l'avoir évoquée, Freud ne se soit pas suffisamment soucié de la vie sexuelle de la mère et de

1. Freud, *Trois Essais sur la sexualité,* Ed. Gallimard, N.R.F., Paris, p. 133.

l'orientation habituelle de son désir vers le sexe mâle. Devant une similitude de besoins de la part des enfants des deux sexes, il a imaginé une similitude de réponses de la part de l'adulte. Cela mettait le garçon et la fille en position homologue sur le plan sexuel, et la différence a dû être introduite par Freud au moyen d'une comparaison anatomique plus ou moins tardive et hypothétique entre enfants.

Alors que si l'on ne perd pas de vue que la mère éducatrice de l'enfant (dans la majorité des cas) est une *femme,* qui ne peut trouver de complémentarité que dans le sexe de l'homme, il apparaît immédiatement que son fils est pour elle « objet sexuel » alors que sa fille ne l'est pas, ce qui entraîne en retour que le garçon a dans sa mère un « objet sexuel satisfaisant » alors que la fille n'en aurait un qu'avec son père.

Cela est mis en évidence par Bella Grumberger qui, étudiant la constitution de la sexualité féminine, remarque : « Comme Freud l'a souligné, la seule relation vraiment satisfaisante est celle qui lie la mère à son enfant mâle, et nous avons toutes les raisons de supposer que la mère la plus aimante, sera AMBIVALENTE avec sa fille. Un objet sexuel réel ne peut être que du sexe opposé et, à moins qu'il ne s'agisse d'une sorte d'homosexualité congénitale, la mère ne peut être un objet SATISFAISANT pour la fille au même titre que pour le garçon... ... Ainsi Freud dit que la petite fille se heurte à la difficulté « de changer d'objet sexuel, en passant de la mère au père, mais nous pouvons penser que la petite fille n'a pas à changer d'objet, parce que *pour commencer elle n'en a pas*[1] ».

Je ne suis pas seule à penser qu'à aucun moment le sexe du bébé ne saurait être indifférent au regard du désir de l'adulte éducateur et que de cette confrontation entre une libido infantile dirigée vers la satisfaction auto-érotique de la part du bébé, et une libido parentale fortement génitalisée, va s'établir la constitution mâle ou femelle de l'individu.

Le fait que la même mère, de sexe féminin, s'occupe du garçon et de la fille suffit à donner naissance à une dissymétrie fondamentale entre les sexes ; l'un, le sexe mâle, ayant un objet sexuel adéquat dès sa naissance, l'autre, le sexe femelle, n'en ayant pas et devant attendre la rencontre avec l'homme

1. Bella Grumberger, *La Sexualité féminine,* Ed. Payot, Paris.

pour découvrir la satisfaction ; et il est hors de doute que l'insatisfaction marque profondément le caractère de la femme.

La symétrie entre sexes s'avère impossible dès l'origine, face à la mère, et cette différence engendrée au berceau deviendra divergence difficile à assumer entre hommes et femmes à l'âge adulte.

Du reste, si Freud avait poussé plus loin le raisonnement ou simplement la confrontation entre ses différentes affirmations — l'une ayant trait à l'éveil de la sexualité de l'enfant par la mère, l'autre disant que le premier « objet » de l'enfant est un objet « incestueux » —, il aurait vu lui-même que d'ores et déjà, dans ce premier moment de la vie, un problème se pose pour la fille, et que si, plus tard, elle se tourne vers le père (question non résolue pour Freud), c'est parce qu'avec la mère elle n'a pas d'éveil sexuel possible.

Par rapport à la théorie freudienne de l'Œdipe structurant de la personne, la petite fille ne peut pas se structurer, elle ne peut le faire que d'une autre manière et sans recours à la fixation au sexe opposé. Dans un premier temps le corps, le sexe de la fillette n'est désiré par personne.

Freud a-t-il eu peur de sa propre découverte ? Car c'est en reprenant ses propres argumentations, c'est en suivant sa logique, que nous aboutissons à l'évidence que la fille n'a pas de premier objet d'amour, car rares sont les pères qui vivent à la maison pouponnant leur fille. Disons donc que de femmes œdipiennes qui auraient eu pour objet d'amour premier le père, nous n'en connaissons pas, ou pas encore. Nous ne connaissons que des filles ayant vécu avec la mère une relation dépourvue de désir et ayant bifurqué plus ou moins tardivement vers le père.

Le « nouvel homme » réclamé par les féministes, celui qui ne refusera plus de paterner son enfant, engendrera sans doute un « nouveau fils », mais surtout une « nouvelle fille » qui trouvera dès sa naissance un « objet sexuel » adéquat et ne sera plus poursuivie par les démons de l'insatisfaction, pour n'être rassurée qu'à coup de perfectionnisme.

En attendant cette ère à venir, examinons de plus près la constitution des caractères de l'homme et de la femme, mis tous deux face à la mère dans la famille nucléaire et patriarcale actuelle.

Evolution du garçon

Nous commencerons par lui, son évolution étant déclarée par Freud « plus logique » et plus facile à interpréter que celle de la fille.

Que voyons-nous effectivement ? Une situation infantile extrêmement simple : le garçon se trouve dès sa naissance face à l'autre sexe, ayant comme objet d'amour la mère, donc en position œdipienne élémentaire, puisque le fameux objet « incestueux » est là auprès du berceau. Le problème pour l'enfant mâle ne sera pas de constituer l'Œdipe, ni d'y entrer, puisqu'il s'y trouve d'emblée, de par sa naissance aux mains d'une femme. Il y tombe, la tête la première, le plus dur sera pour lui d'en émerger, de sortir de cette « fatale » conjonction des sexes, tout en sauvegardant son intégrité.

En effet, dans son fils, la mère a l'occasion unique de *se voir sous la forme masculine :* cet enfant émané d'elle est de l'autre sexe, et la femme a ici l'occasion de croire au vieux rêve de toute l'humanité, la bissexualité, si souvent représentée dans la statuaire grecque, sous la forme de l'androgyne.

Regardez donc comme elle le porte fièrement ce fils qui vient la compléter, comme nul autre ne peut le faire, voyez l'état de plénitude peint sur le visage de toutes ces vierges à l'enfant. Toutes ces vierges italiennes ne font-elles pas l'éloge de la femn -mère qui trouve bonheur et complétude sans passer par le père, renvoyé ici à un mythe. Dieu le Père... Religion d'hommes, édictée par des hommes qui ne reconnaissent de la femme que le ventre qui les porta. Religion œdipienne s'il en fut puisqu'on y fait disparaître le père au bénéfice de la mère, comme de nos jours.

Maternité : paradis perdu de l'homme et qui le hante au point qu'il veut en être maître et en décider. S'il ne peut pas le porter, cet enfant, qu'au moins il puisse obliger l'« autre » à le traîner. La femme « tombe » enceinte, vous connaissez l'expression. Comme si brutalement elle avait un accident, quelque chose qu'elle n'aurait pas prévu et qui la ferait trébucher. Hommes que nous avons vus s'enrager autour du problème de la maternité et de l'avortement avec une violence rare, hommes qui promeuvent la mère pour mieux faire disparaître la femme qui n'aurait même pas droit au « désir » d'enfant ; on en déciderait pour elle. Elle n'en serait pas maîtresse. Ah ! nous en avons souffert de tous les mythes et envies que trimbale l'homme à propos de notre ventre reproducteur !

Elle en a donc de la chance la femme qui a un fils ! Est-ce pour cela que Lacan lui rappelle méchamment que « la femme n'est pas TOUTE [1] », qu'elle ne se croie pas à cette place enviée de l'homme qui se voit condamné à la solitude monosexuée.

Mais non, rassurez-vous, elle n'est pas « toute » cette mère, même si elle a fort envie de le croire, car ce petit garçon n'est pas *elle* et n'est pas non plus *à elle,* et, si elle a pu se croire un moment en possession de l'autre sexe, son fils à mesure qu'il grandit ne cessera de la détromper. L'opposition du garçon sera d'autant plus violente et persistante que la croyance de la mère en l'unicité avec son fils a été prolongée.

Et si les premiers mois de dépendance et de symbiose mère-enfant paraissent receler moins de problèmes pour le garçon que pour la fille, il n'en sera pas de même pour la période suivante d'opposition anale et d'affirmation de soi. Les difficultés seront alors du côté du garçon qui devra se défendre là du fantasme maternel de complétude pour acquérir son indépendance, indépendance que la mère elle-même ne souhaite qu'à demi.

La femme a inconsciemment du mal à renoncer au seul mâle qu'elle ait jamais eu avec elle : son père lui ayant fait défaut et son mari étant le plus souvent absent.

Le petit garçon doit surmonter là une difficulté supplémentaire (non décrite par Freud), car il doit s'échapper de l'Œdipe *contre* sa mère qui ne veut ni qu'il s'éloigne ni qu'il la quitte. C'est là que commence la plus longue et la plus subtile des guerres contre le désir féminin, c'est là que le garçon entre dans la guerre œdipienne des sexes. Avec sa mère.

Et sa mère n'exprime-t-elle pas son désir quand elle lui dit « tu grandiras bien assez vite » ? N'est-ce pas une manière de le retenir ? N'en ai-je pas connu qui recommandaient à leur fils d'arracher leurs premiers poils, signe de l'arrivée de l'âge d'homme ?

1. Lacan, *Séminaire,* n° XX, p. 58.

N'est-ce pas à cause de ce désir venant de la mère que le garçon reste « petit » si longtemps par rapport à la fille du même âge, et ne voit-on pas à travers les tests un écart de maturité considérable entre les sexes jusqu'à la puberté et même au-delà ?

On peut voir là, sans doute, la trace de la difficulté à grandir du garçon « enchaîné » au piège de l'amour maternel. N'est-ce pas lui l'énurétique, l'encoprétique, en un mot celui qui refuse de grandir ? L'enfant mâle traverse là un moment difficile dont il gardera toujours la trace sous forme de terreur de la domination féminine.

Il semble que le fameux « piège » évoqué si souvent par l'homme sera celui de la *symbiose* avec la mère vue comme « emprisonnante ». Symbiose, psychose ? En tout cas « prison » qui déclenchera chez l'homme la panique devant toute symbiose avec toute autre femme. Ne plus jamais se retrouver confondu au même lieu, dans le même désir que celui de la femme : tel sera le principal moteur de la misogynie de l'homme.

Tenir la femme loin de lui, la maintenir dans des lieux uniquement prévus pour elle (famille, éducation, maison) sera l'objet premier de la guerre masculine.

Interposer toujours entre elle et lui une barrière ou physique ou sociale, s'opposer à son désir de n'importe quelle façon, garder la distance par tous les moyens, sera l'obsession principale de l'homme. Même son comportement sexuel s'en trouvera influencé : il en raccourcira d'autant les gestes et les mots qui peuvent lui rappeler quelque chose de la tendresse symbiotique avec la Mère.

Donc sortie de l'Œdipe périlleuse, jamais totalement assurée et qui laisse l'homme à tout jamais marqué de méfiance vis-à-vis de la femme. Sortie parfois impossible qui conduira ce petit garçon et sa mère chez le psychothérapeute : à cette époque de la vie de l'être humain, nous voyons trois fois plus de garçons que de filles (elles, nous les verrons plus tard). Cela est à soi seul une preuve de la difficulté que représente pour le garçon le combat avec la mère. Ce combat a pu faire de l'enfant en cas de névrose :

— soit un enfant qui a tant voulu résister à la mère qu'il en a oublié d'exister pour lui-même et c'est l'enfant *mort* à tout désir. On le dit amorphe, il ne s'exprime ni en classe ni à la maison, la fermeture est globale : pour apprendre à se défaire d'ELLE et de son désir permanent, il a dû se défaire de tout désir ;

— soit un sujet devenu *agressif,* d'abord avec sa mère, et ensuite par extension avec tous et toutes, il s'oppose au professeur, bagarre avec les copains, bêche les filles. Il trimbale la guerre avec lui, partout où il arrive il sème la panique car il entend se montrer le plus fort. Plus fort qu'ELLE et ensuite plus fort que tout le monde. En fait, ce qu'il veut c'est gagner sur sa mère, sur son contrôle. Parfois instable, il cherche par son agitation permanente à lui échapper à tout instant.

Et le père, que fait-il pendant ce temps-là ? Où est-il ? Ne voit-il pas, ne sait-il pas pour l'avoir vécu lui-même ce qui se passe ? Certainement qu'il sait, qu'il se souvient. Mais il n'ose pas arracher son fils au pouvoir féminin, le seul dont dispose sa femme en toute quiétude, puisque tous les autres pouvoirs c'est lui qui les détient. Le fils ne peut guère compter sur son père pour sortir de ce pas difficile avec la mère, car le père se tient volontairement loin du conflit. Et le garçon ne connaîtra le plus souvent l'homosexualité qu'à l'adolescence avec les autres garçons de son âge qui sortent eux aussi du dangereux dédale. Et l'homosexualité de l'homme sert là de défense contre la mère, la femme, la fille. L'homosexualité des garçons est avant tout défensive contre l'autre sexe. Nous verrons que celle de la fille n'a rien à voir avec ce mode de fonctionnement.

Voilà donc résumé dans son ensemble et dans ses avatars le problème de l'Œdipe masculin, la naissance de l'homme aux mains d'une femme, fruit de la fatale conjonction des sexes. Voilà comment naît pour l'homme le plus tendre des amours, suivi de la plus longue des guerres. L'homme en sort marqué de méfiance, silence, misogynie, en un mot de tout ce que leur reprochent leurs femmes.

Arriver à se défaire de la personne qu'il a le plus aimée (aucune mère ne me contredira si je dis que le garçon est bien plus affectueux que la fille) et dont il a été le plus aimé n'est pas un mince travail pour l'homme.

Tout cela est bien le résultat du croisement de sexe au milieu d'une famille, où seule la femme remplit le rôle d'éducatrice et doit vivre le face à face avec son fils.

Autrefois il y avait l'aïeul, l'oncle, le cousin, des tas d'images d'hommes pour interrompre ce dangereux tête-à-tête, maintenant la toute-puissante Mère vit seule avec son fils qui comble toutes ses attentes d'autrefois : il la venge de son père absent, de son mari parti. L'enfant, lui, est présent, il paiera donc pour eux ; que voulez-vous, il faut bien prendre l'homme où il se trouve, et tant pis si c'est au berceau !

Après la lutte terrible avec cette Mère toute-puissante, comment voulez-vous que les hommes ne naviguent pas dans la méfiance quand il s'agit de la femme et de son pouvoir à enrayer ? Comment voulez-vous qu'ils ne passent pas leur temps à limiter notre place, à nous enfermer dans nos devoirs ? Comment un homme pourrait-il aimer une femme de façon non ambivalente ?

Quel homme, quel fils peut se dire défait de sa mère ? Bien sûr, il l'a quittée, mais jusqu'où ? A quel âge ? En faveur de qui ? Quelle mère pourrait dire avoir renoncé à son fils même à quatre-vingts ans ? Il reste « l'unique » même si cela n'est pas dit, même si le respect de l'autre oblige à se taire, même s'il existe des hommes courageux et des mères dignes.

Le lien tissé dans l'ombre de l'enfance unira toujours le fils et la mère de façon indélébile, et les femmes n'épousent jamais que les fils d'une autre femme. D'où les conflits belles-mères, belles-filles, autour du même homme jusqu'à ce que la plus jeune ait un fils elle aussi. Et qu'elle lâche le combat du passé, pour celui de l'avenir avec son fils : faute d'avoir pu se fixer à l'homme adulte qui n'était pas libre puisque toujours mystérieusement rattaché à sa mère, puisque toujours ambivalent entre son passé et son avenir.

Histoire qui va ainsi de génération en génération : fils relié secrètement à sa mère et qui prend femme pour pouvoir fonctionner et se reproduire, mais qui garde avec elle une certaine distance et ne lui reconnaîtra d'autres droits que ceux de cuissage et maternité. Femme sans mari, sans égal et qui paie le prix de la guerre à laquelle elle se trouve mêlée du seul fait qu'elle prend la suite de la Mère, femme qui trouvera dans son fils le seul homme proche d'elle dans la vie. Le cercle est fermé, la boucle est bouclée : une femme, parce que tenue à distance par son mari, s'attachera à son fils et préparera en lui la « distance » pour l'autre femme à venir. UNE FEMME CREUSE POUR UNE AUTRE LE SILLON DE LA MISOGYNIE.

Evolution de la fille

Allons voir maintenant de l'autre côté ce qui se passe : pendant que le petit garçon essaie désespérément de se défaire de l'attachement de sa mère pour lui, que devient la petite fille face à cette même mère qui ne l'enchaîne nullement, de par un désir sexuel absent de la relation mère-fille ?

On peut immédiatement poser la question : la fille serait-elle plus tranquille, puisqu'elle évite la « fatale » conjonction des sexes ? Hélas, non, pas du tout, mais les risques ne sont pas les mêmes et les résultats non plus : si le problème du garçon est de se défaire d'un objet « trop adéquat », le drame de la fille est de ne pas arriver à trouver sur sa route l'objet adéquat, et de devoir rester hors de l'Œdipe jusqu'à un âge avancé de sa vie. Si le garçon débute par la fusion-complémentarité, la fille, elle, inaugure sa vie par le clivage corps-esprit : elle est aimée comme enfant, mais non désirée comme corps de fille. Elle n'est pas un objet « satisfaisant » pour sa mère sur le plan sexuel et elle ne pourrait l'être que pour son père, et lui seul.

Le père seul pourrait donner à sa fille une position sexuée confortable, puisque lui voit le sexe féminin comme complémentaire du sien propre et donc indispensable à sa jouissance. (Ce que la mère ne peut que rarement éprouver envers le sexe de sa fille, car, sauf exception, la mère ne désire pas son propre sexe en tant qu'objet de jouissance, mais le sexe complémentaire du sien, donc celui de l'homme.)

Objet non œdipien pour sa mère, la fille va se ressentir *insatisfaisante,* première des conséquences du non-désir de sa mère : la fille, puis la femme n'est jamais satisfaite de ce qu'elle *a,* de ce qu'elle *est,* elle vise toujours un autre corps que le sien : elle voudrait un autre visage, une autre poitrine, d'autres jambes... Si on l'écoute, toute femme trouve qu'elle a quelque chose de son corps qui ne convient pas aux yeux des autres.

En effet, la première chose qui n'a pas convenu se tenait bien au corps puisqu'il s'agissait du sexe qui n'a pas entraîné de désir de la part de la mère. La petite fille est, aux yeux de sa mère, mignonne, adorable, gracieuse, sage, tout ce que vous voudrez sauf sexuée, et colorée de désir. La couleur du Désir manque à la petite fille manipulée par des mains de femme.

Son sexe à cette époque existe pourtant bien et la région vulvo-clitoridienne est hyper-sensible aux caresses venant de la mère quand elle nettoie l'enfant, mais ce sexe-là n'est pas objet de désir pour la mère, qui, culturellement, ne reconnaît d'ailleurs pas cette partie d'elle-même comme typiquement féminine et préfère investir son vagin lieu déclaré « jouissif » par l'homme. La mère est donc la première à barrer la jouissance clitoridienne de sa fille et à inaugurer le silence autour de cette jouissance.

Le « tu es une petite fille clitoridienne » est remplacé dans l'inconscient maternel par le « tu seras une femme vaginale qui jouira avec un homme, plus tard ». Et ce présent interdit au nom d'un futur attendu sera souvent, hélas, le comportement de bien des femmes qui restent toujours à attendre l'orgasme de la femme adulte, laquelle (comme la petite fille) sait qu'il y a une jouissance à venir mais n'en éprouve aucune dans l'instant.

Ainsi la petite fille est niée dans sa propre sexualité d'enfant et renvoyée à sa sexualité future de femme ; elle a à taire ce qu'elle EST : une petite fille clitoridienne, et elle doit croire à ce qu'elle N'EST PAS : une femme vaginale.

Comprenant la dialectique qui lui est imposée et devinant que seule la femme est reconnue sexuée, elle joue à la femme : elle en emprunte les artifices : le rouge à lèvres, les talons, le sac à main, la petite fille se déguise en femme, comme plus tard la femme se déguisera en autre femme que celle qu'elle est.

C'est là l'origine du « déplacement » permanent de la femme par rapport à son propre corps, elle croit toujours utile de tricher ici ou là, en vue d'être acceptée comme femme ; son sexe réel ne suffit pas, il faut toujours en rajouter. Et de quoi nous parlent les journaux dits féminins ? Sinon d'une « femme plus naturelle que nature », d'une « femme enfin féminine », d'une « femme-femme », etc. Comme s'il fallait toujours rajouter quelque chose en plus du sexe propre de la femme, comme si la femme n'était pas femme de nature, comme si son sexe n'était pas signifiant de sa féminité. N'est-ce pas encore et toujours l'histoire de la petite fille obligée de se montrer *autrement sexuée* que ce qu'elle est ?

Et la femme n'a-t-elle pas commencé dans son enfance, dès son enfance, à *mentir* vis-à-vis du sexe qui était le sien ? Il n'y a pas de vraie petite fille, il n'y a qu'une fausse petite femme.

Tout le monde sait qu'il ne suffit pas d'être une fille pour être reconnue telle, il faut sans arrêt rajouter des preuves de féminité qui n'ont souvent rien à voir avec le sexe : « Le garçon est désiré pour lui-même (...). La fille est désirée — si elle l'est — selon une échelle de valeurs (...) :

— les filles sont plus affectueuses (...),
— elles sont plus reconnaissantes (...),
— elles sont mignonnes et coquettes (...),
— elles aident aux tâches domestiques (...)[1]. »

Somme toute la petite fille est acceptée « fille » pour mille raisons qui ne tiennent jamais compte de son sexe réel, elle est reconnue « fille » sous condition, alors que le garçon est reconnu garçon uniquement à cause de son sexe. La fille a toujours des preuves à fournir de sa féminité ; comment, à la suite de cela, les femmes ne seraient-elles pas hantées par la nécessité d'afficher les signes de cette féminité ? Dure existence de celle qui se croira obligée de prouver à vie qu'elle est bien une Femme ! Femme qu'elle-même n'est jamais vraiment sûre d'être puisque son identité sociale n'a jamais paru tenir à son sexe physique.

Douloureux dilemme où l'IDENTIFICATION (l'être-comme) prend le pas sur l'IDENTITÉ (l'être-soi) et où le FAIRE-SEMBLANT prend la place de l'AUTHENTIQUE. Identité mise en difficulté par l'absence de désir venant de l'autre sexe, identification mise en péril par la difficulté de percevoir son corps comme *semblable* à celui de la Mère, tels sont les deux écueils que rencontre la petite fille sur sa route.

Le drame de la fillette est que son corps n'est *comme celui de personne.* Elle n'a ni le sexe du père, ni les formes de la mère (qui a des seins, une taille fine, des hanches, une toison pubienne). La petite fille se voit nue, plate et fendue, ressemblant à ces poupons asexués que l'on vend dans les magasins.

Ce qui est « comme » existe pourtant bien chez la petite fille, mais se trouve caché à son regard, tout au fond de sa fente. Et nul ne lui en parle jamais de ce clitoris, seul repère sexuel comparable à celui de la mère.

Ce clitoris si revendiqué par les féministes, si décrié par

1. Elena Gianini Belotti, *Du côté des petites filles,* Ed. des Femmes, Paris.

les machistes, pourrait bien être un des premiers maillons de la chaîne à ne pas sauter si l'on veut que l'obscurité concernant la sexualité de la femme fasse place à quelque clarté. En effet en ne parlant pas à la petite fille de cette partie de sa sexualité, on refuse de lui dire ce qu'elle a, pour lui parler en général du reste de son appareil génital qui ne fonctionne pas encore : donc on lui parle de ce qu'elle n'a pas (reproduction, règles) et que possède la Mère.

La Mère, de ce fait, ne peut représenter aucun lieu d'identité sexuelle pour sa fille et l'homosexualité entre elles se révèle *impossible,* la fille ne découvrira un corps pareil au sien qu'à l'adolescence, d'où l'importance de l'amitié entre filles à cette époque, comme constituante de la féminité qui n'a pas pu se constituer avec la Mère.

En revanche, auprès de cette Mère dissemblable et mieux pourvue qu'elle, la fille découvre l'envie et la jalousie, qui contrairement à ce que croyait Freud, ne prennent pas naissance dans le rapport au corps de l'homme mais dans la comparaison écrasante avec celui de la femme-mère.

Il n'est pas rare de voir une petite fille toucher tour à tour les seins de sa mère, puis sa propre poitrine pour déclarer l'air désolé : « Carine a pas tétés... » Bien avant le sexe mâle, ne sont-ce pas (vu la prédominance de la mère auprès de l'enfant) les atouts sexuels de la mère qui sont perçus comme absents sur le corps de l'enfant, engendrant chez le garçon le manque irréversible et le fantasme éternel de la douceur du sein féminin, et chez la fille la comparaison permanente et la jalousie vis-à-vis de tout autre sein (tout autre corps) mieux dessiné que le sien ?

En tout cas, si les femmes en sont là, et si la jalousie a pris la place de l'homosexualité, c'est parce que la Mère, première des femmes rencontrées, n'a pas osé reconnaître ni nommer sur le corps de sa fille ce qu'il y avait de pareil à elle. A-t-elle eu honte ? a-t-elle eu peur ? Aucune femme jamais ne parle de clitoris à sa petite fille...

Et la fillette, désespérée de n'avoir ni sexe (clitoris non reconnu) ni objet sexuel (père absent), va procéder non au refoulement de sa sexualité comme le croyait Freud mais au déplacement de cette sexualité impossible en tant que telle.

Du sexuel, *s'il n'y en a pas au sexe,* il y en aura partout ailleurs. La fille sexualise tout : son corps qu'elle veut féminin, ses actes qu'elle veut conformes à ceux de son sexe, son langage qui devient séducteur.

La femme sexualisera tout ce qui d'elle peut être vu par l'autre. Faute d'avoir été reconnue dans son sexe de petite fille, la femme saura se faire reconnaître dans tout le reste non sexué de son corps. De sorte que, par moments, elle prendra son corps tout entier comme signal sexuel et aura honte de l'exhiber alors, comme cette femme qui me disait un jour : « Quand il faut que je parle debout et que tout le monde me voit, je ne sais plus ce que j'ai à dire, je n'ai plus rien dans la tête, je suis envahie par la honte, je ne sens que mon corps et je ne sais plus où me fourrer. »

La femme apprend au cours de son enfance à se servir de son EXTÉRIEUR pour signifier son sexe INTÉRIEUR ; la petite fille passe son temps à fournir des preuves extérieures de sa féminité tenue au secret par les adultes qui l'entourent, et à partir de là elle ne distinguera plus très bien ce qui d'elle est sexuel et ce qui ne l'est pas.

On dit qu'elle devient *hystérique* parce qu'elle fait appel continuellement au regard de l'autre pour répondre de son identité sexuelle. Quelle différence d'avec l'homme sinon que ce regard désirant, l'homme le reçoit d'emblée venant de sa mère ? L'absence de regard paternel dans le jeune âge paraît s'inscrire chez la fille comme angoisse sexuelle, comme doute identificatoire toujours à combler, toujours à réparer par un autre regard à l'âge adulte.

Quelle femme peut prétendre être indifférente au REGARD dont elle est l'objet ? Qu'il soit perçu comme structurant ou anéantissant, il reste que la femme arrive difficilement à quitter l'orbe du regard, en particulier celui de l'homme. C'est ce qui explique la difficulté et l'ambivalence des femmes à quitter le monde phallocratique de l'homme pour accéder à celui de la femme féministe qui n'accorde aucune valeur au jugement de l'homme et ne tire aucun prestige de sa considération.

Les femmes ont peur d'y perdre quelque chose de l'ordre du « plaire » à l'homme ; les femmes ne font pas confiance à d'autres femmes pour ce qui est de leur *reconnaissance,* elles craignent de retrouver entre femmes la rivalité, celle qu'elles ont connue avec la première des femmes : leur mère. La guerre avec la Mère, la guerre avec Jocaste a intronisé la méfiance plutôt que l'homosexualité. Et les femmes ont beaucoup de mal à traverser leur méfiance les unes vis-à-vis des autres, la « sororité » n'est pas une évidence et requiert de renoncer à l'existence reçue de l'extérieur pour adopter celle venue de l'intérieur, mouvement très inhabituel pour une femme.

En l'honneur de la femme, il faut transformer la réflexion de Descartes « Je pense donc je suis » en « Je plais donc je suis ». Ce qui crée entre le physique et le moral une antinomie fondamentale qui n'appartient qu'aux femmes : exemple la fameuse anorexie de la jeune fille qui se situe à l'adolescence quand les signes sexuels féminins deviennent apparents et qu'il devient impossible d'échapper au plaire. Certaines jeunes filles ressentent ce passage comme une perte de leur propre identité, au bénéfice de celle que leur accordera le regard de l'« autre », aussi font-elles tout pour éviter ce regard, pour camoufler ces nouveaux attraits vus par elles comme perdition d'elles-mêmes.

L'anorexique est femme « pour elle », et refuse de l'être « pour les autres », donc elle refuse tous les canons habituels de la beauté et de la féminité, et elle vit selon ses propres normes qui lui permettent d'échapper au Désir. Ces jeunes filles révèlent par leur attitude souvent suicidaire que l'adolescente se trouve devant un choix fondamental entre le *corps* et l'*esprit,* car, curieusement, refusant de toute évidence le corps comme lieu d'aliénation pour le regard des autres, elles présentent un niveau intellectuel beaucoup plus élevé que la plupart de leurs compagnes passées au clan des femmes désirables.

Il peut y avoir bien des embûches sur le chemin de la « féminité » et les psychanalystes, s'ils voient peu de petites filles — parce qu'elles échappent encore au dilemme corps-esprit et vivent dans les rêves et les sublimations que leur permettent la neutralité de leur corps —, voient beaucoup d'adolescentes et de femmes arrêtées par le refus de plaire. Elles accusent en général leur relation à leur mère, enfin identifiée comme origine de leurs maux, puisqu'elle ne leur a donné qu'une place asexuée, et elles refusent la place de femme qu'on veut leur donner, trop tard et sous conditions. L'opposition œdipienne de la fille (opposition au désir venant du sexe opposé) ne peut se faire jour que lors de la rencontre avec le désir masculin, donc à l'adolescence, mais elle peut durer toute la vie ; le statut « femme désirée » pour être adopté trop tard, sera toujours lieu d'ambivalence pour les femmes, à moins qu'il n'engendre franchement la révolte, comme ces temps-ci avec l'apparition du féminisme et le refus systématique de se soumettre au désir de l'homme « désirant ». Et celui-ci en paraît tout surpris : la violence de sa compagne l'étonne, le scandalise, car il n'a jusqu'à présent jamais réellement saisi que s'occuper à être femme, c'est renoncer à beaucoup d'autres réussites ailleurs, et que les « femmes-femmes » vivent en « sous-développées intellectuelles ».

Il semble que ce soit en renonçant délibérément à « plaire » que les femmes en ce moment se mettent à parler, écrire, dessiner, chanter... Curieux tout de même ! Il y aurait donc bien un rapport de forces inversé entre le « plaire » et le « savoir », entre la « femme-objet » et la « femme-intellectuelle » ? L'idéal social se trouvant chez celle qui tient l'équilibre périlleux entre ces deux femmes.

La trace œdipienne

De cet Œdipe, où le père a tellement disparu au bénéfice de la mère, nous sortons tous très meurtris, portant la trace de notre Mère et rêvant de notre Père.

Chez l'homme cela prend la forme du ressentiment contre la femme, dont aucun homme ne se défait ni totalement ni définitivement. L'identité de l'homme est marquée du refus de la femme comme égale.

Chez la femme, cela prend l'allure d'une course effrénée au désir masculin, course qui la rendra esclave de la loi de l'homme, et méfiante vis-à-vis des autres femmes. L'identité de la femme est marquée du désir de rencontrer l'homme si longtemps absent de sa vie.

On peut donc voir ici se dessiner le cercle infernal où la femme non désirée dans son enfance, va dans l'âge adulte quêter le désir et l'approbation de l'homme, et où celui-ci, mis en position de maître, va en profiter pour régler son compte à la femme (en souvenir de son compte mal réglé à sa mère). Et la femme qui cherche l'amour réparateur de l'homme va tomber sur l'amour castrateur de celui qui a bien décidé qu'ELLE ne régnerait plus jamais. L'histoire vécue avec Jocaste paraît engendrer aussi bien la jalousie entre femmes à propos de la conquête de l'homme, que la misogynie de l'homme envers la femme. De sorte que la femme se trouve en but à la méfiance des deux sexes et qu'il lui est difficile d'échapper à la guerre.

Et dire que ce dont souffrent les femmes, ce sont elles qui l'ont engendré en revendiquant pour elles seules l'éducation du jeune enfant, dire que les futurs misogynes dont souffriront leurs filles, ce sont les mères qui les préparent...

De tout cela sommes-nous prévenus les uns et les autres ? Il semble bien que non puisque continuent à se vivre chez les femmes à la fois la revendication du jeune enfant et le besoin d'être « reconnue » par l'homme mûr. Les femmes n'en reviennent pas de la place où elles se trouvent mises par l'homme. C'est de cela qu'elles se plaignent en ce moment sans songer que c'est pour l'homme le seul moyen de gagner sur sa mère : première des femmes de sa vie.

Quelque aspect que puisse prendre le couple, c'est toujours le lieu où la femme veut se faire « reconnaître » de celui qui ne peut pas lui accorder « reconnaissance » sans éprouver un danger ; d'où la surdité masculine aux récriminations féministes pourtant souvent bien fondées.

Mais ce n'est pas en prenant les conclusions pour les prémisses que les femmes pourront rectifier les injustices commises à leur endroit. C'est en changeant les prémisses qu'elles engendreront d'autres hommes qui, moins soumis dans l'enfance à leur pouvoir, éprouveront moins vivement le besoin de se défendre à l'âge adulte.

La récrimination vient des femmes, parce qu'elles sont les plus opprimées dans le système actuel, mais elles doivent comprendre que, plus elles demanderont la garde de l'enfant (comme cela le leur est journellement proposé par l'Etat), plus elles perpétueront le système phallocrate qui les tient enfermées. Il faut qu'un sexe recule pour que l'autre puisse prendre sa place dans l'Œdipe du jeune enfant. Les femmes sont-elles prêtes à cette renonciation ? Les hommes sont-ils prêts à prendre leur part du pouvoir œdipien ?

Mes actes, je les ai subis et non commis,
s'il m'est permis d'évoquer ceux de mes
père et mère...
J'ai subi des épreuves qui ne s'oublient pas.

Œdipe à Colone, SOPHOCLE

5.

ANATOMIE OU DESTIN ?

Si la traversée de l'Œdipe est radicalement différente d'un sexe à l'autre, on doit, en suivant l'itinéraire d'un enfant jusqu'à l'âge adulte, retrouver des marques spécifiques à chaque sexe.

Il importe donc d'examiner les stades précoces de l'enfance pour savoir s'ils sont traversés de la même façon par les deux sexes.

Qu'en voyons-nous ? Qu'en savons-nous ? De ce premier face à face avec la mère, que reste-t-il comme trace à l'âge adulte ? Qu'en disent l'homme et la femme quand ils peuvent en parler chez le psychanalyste ? Et celui-ci n'est-il pas bien placé pour reconnaître dans les propos et les pensées de l'adulte la marque de cette relation première à la mère ? N'est-il pas un des seuls à pouvoir repérer à quel point la trace de l'Œdipe est toujours présente, bien que marquant différemment l'homme et la femme ? Et si Freud a dit, reprenant un mot de Napoléon : « L'anatomie c'est le destin », un autre psychanalyste n'a-t-il pas écrit récemment : « L'anatomie n'est pas véritablement le destin. Le destin vient de ce que les hommes font de l'anatomie [1] » (Robert Stoller).

Si la découverte principale de Freud réside dans le fait de prouver que la sexualité de l'adulte dépend de celle de l'enfant, son insuffisance majeure est de ne pas avoir assez interrogé

1. *Nouvelle Revue de psychanalyse,* n° 7, printemps 1973, Gallimard, Paris, p. 150.

l'interférence du sexe de l'enfant avec celui de l'adulte éducateur.

Nous avons vu que l'anatomie de l'un et de l'autre joue un rôle décisif dans l'établissement de la première relation et nous savons que cette relation est elle-même le modèle de toutes celles à venir dans la vie d'un individu. L'avenir de chacun passe donc bien par son anatomie, mais surtout par ce que l'adulte éducateur (la mère en général) fait de cette anatomie.

Et que fait donc cette éducatrice de si différent d'un sexe à l'autre ? Et comment lui répond l'enfant dès son plus jeune âge ? Questions qui se posent, questions à résoudre, en examinant le comportement des filles et des garçons lors des stades les plus primitifs de l'enfance dits prégénitaux.

Stade oral et relation d'objet

Au début de sa vie le bébé paraît avoir une vie végétative, la plus proche possible de la vie utérine : il cherche avant tout à se remplir et à dormir. Il semble ne pouvoir s'endormir que s'il est rempli : cela apparaît comme la suite de sa longue vie utérine, au cours de laquelle il a vécu, endormi le plus souvent, rempli et entouré par le liquide amniotique dans lequel il baignait alors. Sa bouche entrouverte ne connaissait pas encore le « vide », non plus que son tube digestif, dont il est prouvé qu'il fonctionne *in utero,* l'enfant déglutissant et digérant puisqu'il excrète à la naissance le contenu de son intestin, le méconium.

Donc l'enfant naissant ignore absolument « le vide » et il va tâcher d'y pallier par tous les moyens, suçant son poing, tétant le bord de son drap, n'importe quoi pourvu qu'il y ait quelque chose dans cette bouche habituée au « plein ».

Bien sûr, l'ingestion de nourriture paraît le moment idéal où se rétablit la continuité primitive entre extérieur et intérieur, c'est le moment le plus intense de la vie du nourrisson. Mais en même temps qu'il tète, il ne peut éviter d'intérioriser, de se remplir de tout le contexte maternel qui entoure l'allaitement. Toute la *Gelstat* maternelle pénètre en lui : odeur, chaleur, tonalité de la voix ; l'enfant fait sien tout ce qui lui vient de sa mère (ou de celle qui s'occupe de lui) car, à cette époque précoce de sa vie, il ne distingue pas encore sa « personne » de celle de « l'autre ». *Le bébé introjecte donc bien plus que la nourriture :* la preuve en est donnée par l'hospitalisme, provoqué par la brusque absence de l'éducatrice habituelle de l'enfant ; alors que tous les soins connus de lui, lui sont prodigués, l'enfant ne « se » reconnaît plus, par suite d'avoir perdu le contexte maternel qui était le sien. Il semble avoir perdu une partie de lui-même, et souffrir de cette perte qui n'est apparemment qu'extérieure.

Françoise Dolto a suggéré avec succès, devant les difficultés d'alimentation dues à l'hospitalisation, d'entourer le biberon ou de placer dans le lit du bébé un vêtement appartenant à la mère et imprégné de son odeur, ce qui a permis à l'enfant de retrouver « l'ensemble maternel » et de téter à nouveau.

Tout ce détour ne nous servirait de rien s'il ne prouvait à quel point l'enfant, dans ses premiers mois, est dépendant de l'ambiance créée par la mère, et comme cette mère, selon qu'elle sera plus ou moins aimante, plus ou moins désirante, établira l'enfant comme plus ou moins aimé, plus ou moins désiré.

La qualité de l'amour parental à cette époque de la vie va entraîner la qualité d'amour de soi-même ou NARCISSISME qui est au fondement de la confiance en soi, et de l'élan à vivre libidinal de l'adulte à venir.

Le comportement de la mère découlant de ses propres sentiments inconscients vis-à-vis du bébé va être l'élément inducteur du comportement de ce bébé. Que voyons-nous chez les mères vis-à-vis de leurs enfants de sexe différent dès ce premier stade oral ? Le comportement de la mère change-t-il selon le sexe de l'enfant ?

« Les petites filles sont le plus souvent sevrées plus tôt que les petits garçons [1]. »

« On supprime le biberon aux petites filles le douzième mois en moyenne, le quinzième mois aux garçons [2]. »

« La tétée est plus longue pour les garçons : à deux mois quarante-cinq minutes, contre vingt-cinq minutes pour les filles [3]. »

1. Elena Gianini Belotti, *Du côté des petites filles,* Ed. des Femmes, Paris.

2. 3. Brunet et Lézine, *Le Développement psychologique de la première enfance,* Paris, PUF, 1965.

D'après ces recherches scientifiques sur le très jeune enfant, la mère accorderait plus d'avantages au garçon qu'à la fille. L'enfant va-t-il s'en ressentir et quelles vont être les réponses des filles et des garçons à ces différences maternelles ?

« Des troubles de la nutrition sont relevés pour 94 % des petites filles d'un groupe étudié (lenteur, vomissements, caprices) et seulement 40 % des garçons. Ils apparaissent à partir du premier mois pour 50 % des filles, elles gardent un petit appétit jusqu'à six ans, alors que les difficultés de ce genre apparaissent tard chez les petits garçons et s'expriment par des caprices [1]. »

On voit donc que la petite fille semble avoir quelques démêlés précoces avec sa mère, en tout cas plus que le petit garçon, et si nous prêtons quelque attention, nous pouvons retrouver dans la vie des femmes la trace de cette oralité mal traversée au départ : anorexie, boulimie, vomissements, ne sont-ils pas des symptômes plus féminins que masculins ?

Sur le divan du psychanalyste, les propos des femmes concernant le « vide » et le « plein » ne sont pas moins significatifs des difficultés orales traversées lors de la première relation avec la mère.

Et voilà ce qu'il en reste parfois :

« *J'avale,* j'avale, j'ai l'impression d'avaler tout ce que me dit ma mère, je ne peux pas me défendre d'elle, ni de ce qu'elle me dit de méchant, c'est terrible le mal que ça me fait... »

« *Je rends* tous les jours, j'ai toujours rendu, depuis que je suis enfant, je mange et aussitôt après je vais rendre, et alors je me sens mieux, nettoyée, vide enfin. »

« Je fais des gâteaux, énormes, géants, l'important c'est qu'ils lèvent beaucoup, pour devenir énormes, qu'on puisse se dire qu'il y en aura tant qu'on voudra, à satiété, que je ne serai pas *privée...* »

« Tout d'un coup ça m'attrape, il faut que je mange, n'importe quoi, n'importe comment, il faut que *je me remplisse,* jusqu'à ce que je n'en puisse plus, après j'ai honte, mais pendant que je bouffe, je ne suis plus angoissée, je m'enferme dans la bouffe. »

« Ici je ne sais pas ce que je dis, mais ce que je sais, c'est

1. Brunet et Lézine, *op. cit.*

que je me *nourris,* c'est cela, chez vous j'ai l'impression de me nourrir, de quoi ? De l'air de la pièce ? De vous ? »

« Je ne vous payerai jamais assez cher pour tout ce que je *prends* chez vous. »

« Quand vous me parlez, je suis tellement contente, *je bois* vos paroles, je me mets quelque chose au milieu, parfois je m'aperçois que je ne sais même pas ce que vous avez dit, j'ai entendu uniquement votre bruit. »

Cela est le dire de sept patientes, totalement différentes quant aux symptômes, quant à l'âge, quant à la situation sociale. Rien apparemment ne les rapproche, si ce n'est cette faim dramatiquement « orale » transposée de toutes les façons jusqu'à la restitution par crainte d'avoir ingéré quelque chose de mauvais. Je n'ai rien relevé de tel chez les hommes, car ils ne m'ont jamais rien dit de tel, le désespoir « oral » ce n'est par leur affaire, semble-t-il, car ils ont reçu un biberon parfait où le désir servait de parfum au lait nourricier. L'homme se situera ailleurs dans la rage « anale » pour la défense de sa personne. Attendons-le là où il se trouve : dans la bagarre.

Donc le trop de « vide » et le désir du « plein » mèneront la femme à la cuisine où elle se situera entre le réfrigérateur et le fourneau en passant par l'évier... Et là, croyez-moi, tout le monde criera « bravo » et louera Madame de son oralité. Personne ne cherchera à l'en détourner, bien au contraire on lui assurera que c'est sa place de toute éternité, son seul royaume, son règne assuré sur les siens. Quelle imposture, quel cercle infernal où les mères nourrissent des familles entières afin de nourrir par voie détournée, la petite fille affamée qui les habite !

Par un phénomène de projection, chaque femme imagine les autres êtres comme elle, donc affamés, et se croit obligée de les nourrir à satiété, elle qui est insatiable. La vie des femmes est une étrange cohabitation entre un intérieur démuni et vide et un extérieur magnanime.

Il y a chez les femmes, semble-t-il, confusion entre « aimer » et «nourrir». D'où peuvent-elles tenir cette bizarre équivalence intérieure ? Sinon du fait qu'elles se sont crues mal nourries, parce que mal aimées par une mère qui ne les a pas désirées ; le biberon était vide puisqu'il n'avait pas le goût du « désir », et nous voilà retournés à ce biberon plein de lait mais vide de désir puisque donné par une femme de même sexe que la petite fille.

Mal nourrie, mal baisée, il n'y a qu'un pas que la femme, comme vous allez voir, franchit allégrement, pour nous dire ce qui concerne ses ébats nocturnes :

« Son sexe *me fait peur*, j'ai peur qu'il ne soit trop gros, je trouve cela menaçant, j'ai peur qu'il n'aille trop loin en moi, et ne me fasse mal. »

« J'aime bien les prémices, j'aimerais bien que tout se passe en surface, parce que dès qu'il pénètre, je me serre et *j'ai mal.* »

« Je ne comprends pas, la masturbation, si c'est moi ça marche bien, si c'est lui, ça me fait mal, je n'arrive à rien, je sens que *je lui en veux* et ça ne peut pas marcher. »

« Il se plaint que je n'aie pas de désir pour lui, que je ne lui demande jamais rien, mais moi, *je n'ai jamais rien demandé* ni à ma mère ni à personne, j'ai l'habitude de me débrouiller seule, et je n'ai pas besoin de lui. »

« Je ne peux pas faire l'amour comme il le veut : sans rien dire, sans tendresse, j'ai besoin de paroles, de caresses, de me sentir.aimée, *le reste je m'en fous,* c'est pour lui. »

Ouverture sur la frigidité, comme refus de ce qui vient de l'« autre » assimilé à ce qui venait d'une mauvaise mère, et qui apparaissait comme nocif et dangereux. Le sexe et celui qui en est porteur ne sont-ils pas vus ici comme essentiellement « mauvais » ?

Frigidité orale souvent rencontrée chez les femmes qui, n'ayant pas pu prendre leur homme pour une bonne mère, transposent sur lui tous leurs fantasmes destructeurs, et n'ont d'autre ressource pour effacer leur passé catastrophique que d'entreprendre dans le présent une analyse. Une histoire peut en effacer une autre, mais ce n'est pas sans peine qu'une image va se substituer à une autre si profondément ancrée, si ancienne. La lutte sera longue, car si cette femme a d'abord mal tété *contre* sa mère, puis mal joui *contre* son homme, elle va refuser longtemps d'en sortir *contre* son analyste.

Cependant tant que ne se répare pas cette première relation à la Mère, il n'y a aucune chance d'en réussir une seconde avec qui que ce soit, et l'hétérosexualité étrangère à la vie de là petite fille reste souvent étrangère à la vie de la femme.

Entre le berceau et la nuit de noces, se sont inscrites souvent l'anorexie de la jeune fille (refus de se nourrir, de se remplir) ou la boulimie (besoin excessif de manger pour éviter de se sentir vide), tous ces symptômes rencontrés électivement chez les femmes nous signalent chez elles un rapport conflictuel à la nourriture qui peut réapparaître sous bien des formes, et n'a pas d'équivalent chez l'homme avec une telle fréquence, ni comme enfant, ni comme adolescent, ni comme adulte.

Apparition du langage

Vers dix ou douze mois, se situe chez l'enfant le début de la communication. Cet âge suit immédiatement le stade du Miroir (sept ou huit mois) au cours duquel l'enfant se différencie enfin de sa mère et quitte définitivement la Symbiose avec elle : il découvre, la voyant en même temps que lui dans une glace ou une vitre, qu'ils sont deux, qu'il n'est pas elle, qu'il est seul et indépendant d'elle. Il se retourne vers celle qui le tient dans les bras, il palpe son visage, touche son nez et comprend que ce n'est pas lui. Plus jamais l'enfant ne retournera au TOUT avec la Mère (excepté en cas de psychose).

Se réalisant comme SEUL, l'enfant va devenir beaucoup plus réactif à l'absence de sa mère ou de celle qui s'occupe de lui : il pleure quand on le repose dans le berceau et pleure encore pour qu'on le reprenne dans les bras, l'enfant devient capricieux et apprend à faire passer dans ses cris sa volonté d'appel de l'autre. Si au début de sa vie le bébé crie par inconfort matériel ou par faim, à partir du stade du Miroir, il apprend à pleurer à cause de l'absence de sa mère ressentie comme manque. La parole suivra de peu sous forme d'onomatopées de plus en plus précises et codifiées par le milieu familial, puis l'enfant apprendra à signifier en parole son désir.

Ainsi parti du CRI, signification de l'insatisfaction physique, l'enfant atteint rapidement le niveau le plus élevé de la communication : le LANGAGE.

De nouveau ici, disparité évidente entre les deux sexes, car la fille à âge égal et intelligence égale parle beaucoup plus tôt que le garçon : ce fait est tenu pour la norme dans tous les traités de l'enfance, mais cela est-il si évident et à quoi peut-on le rattacher ?

Si l'appel et le cri ont pour fonction de signaler la perception de l'écart avec la mère, et de rétablir le lien avec elle, après avoir pleuré davantage dans les premiers mois de la vie, voilà que les filles se mettent à parler plus tôt, témoignant d'une *absence*, d'une *distance* à franchir pour rejoindre la mère, qui n'existe pas chez le garçon du même âge.

En effet le garçon n'est pas poussé par l'angoisse d'une solitude qu'il ne connaît pas puisqu'il est soutenu depuis sa naissance par le fantasme maternel de complétude qui fait de lui un objet narcissique, qui se sent confortable là où il est, comme il est.

Donc, si la petite fille parle plus tôt, c'est parce qu'elle n'est pas plongée dans le même confort, qu'elle n'a personne pour la voir comme complément d'elle-même, puisqu'elle n'a pas son père comme nurse en général. Elle parle plus tôt parce qu'elle se sent seule et veut rétablir un lien qui n'est pas ressenti comme intérieur avec la mère, donc elle va avoir besoin de lui parler pour recevoir une réponse extérieure, qui palliera son manque d'image narcissique intérieure.

On peut déjà voir se dessiner là dès l'enfance les différences qui marqueront le langage de l'homme et celui de la femme : l'un, précoce, a pour fonction d'établir le lien, de nier la distance ressentie comme insupportable avec l'autre : c'est le langage féminin qui enjambe le vide qui cherche les similitudes, qui recherche l'assentiment (celui-ci, venant du père, a toujours manqué à la fillette). On dit volontiers des femmes qu'elles se racontent un peu trop. L'autre, tardif, est la manifestation même de la distance à maintenir avec l'autre, le langage masculin est le plus souvent dénué d'affectivité et d'angoisse. L'homme s'en tient à des banalités d'ordre très général et peu compromettantes. Nous le savons bien, il ne recherche pas la communication profonde dont il a eu son compte, semble-t-il, avec sa mère et pour le restant de ses jours... Mais nous reviendrons sur cet important problème de la parole dans l'un et l'autre sexe, car il vaut bien qu'on en débatte, qu'on l'explique autrement que par un refus de chaque sexe d'entendre l'autre. Donc nous retiendrons ici simplement que la précocité de langage de la fillette n'est pas forcément signe d'évolution heureuse. Car la précipitation n'a jamais été le signe de la sûreté de soi, bien au contraire !

D'ailleurs ce qu'en disent les femmes elles-mêmes n'est-il pas probant :

« Si j'arrête de parler, j'ai peur que vous voyiez que je ne suis rien. »

« Je parle, je fais du bruit, mais à l'intérieur j'ai peur, c'est vide. »

« Si je laisse le silence gagner encore, je ne pourrai plus franchir la distance entre vous et moi, elle me fait peur. »

Alors que, chez les hommes, on entend :

« Je ne sais pas pourquoi je suis là, je n'ai rien à vous dire, rien que j'aie envie de vous faire partager. »

« Se taire pour maintenir la distance : en amour je déteste parler, je ne veux pas mêler l'affectivité, je déteste la proximité que ma femme réclame. »

« Comment faire pour qu'ELLE ne sache pas ? Impossible, même si je ne dis rien, elle devine, je peux aller au bout du monde, elle saura toujours tout sur moi, c'est terrible ce truc qui me colle à la peau. »

Différence radicale entre le besoin de l'homme et celui de la femme : différence qui se situe à la DISTANCE à conquérir pour l'homme, à fuir pour la femme, telle est la marque langagière de Jocaste en chacun de nous.

Père qui eût été indispensable encore ici, aussi bien pour son fils que pour sa fille car il aurait rétabli l'équilibre par sa proximité avec la fille, par sa distance avec le fils.

Paternage dont la nécessité n'a jamais été démontrée, alors que le maternage remplit les colonnes de tant et tant de nos journaux et publications diverses !

Stade anal et ambivalence fondamentale

Continuant notre investigation au travers des différents stades qui constituent l'enfance, nous en arrivons tout naturellement au stade anal : au cours de celui-ci, le plaisir auto-érotique d'expulser ou de garder les fèces, devra céder la place au désir de propreté de l'adulte éducateur, passage de la jouissance personnelle à l'oblativité.

Combat sans merci entre l'exigence de l'adulte et la réponse de l'enfant. Sacrifice de sa propre loi à celle de l'autre, reconnue comme obligation sociale, première des frustrations acceptées pour faire partie du « clan des grands ».

L'ambivalence de l'enfant vis-à-vis de ce don à consentir est énorme : au début il craint qu'en donnant ses matières, il ne se donne lui-même et ne disparaisse du même coup, d'où ces jeux anaux dans lesquels nous voyons l'enfant occupé à remplir et à vider successivement un minuscule récipient. Il fixe son regard sur l'eau qui s'échappe puis il retourne attentivement le gobelet : il constate que celui-ci est toujours dans sa main, bien que l'eau s'en soit allée. C'est ainsi qu'il apprend la permanence du contenant, car le *contenant* dans cette affaire de propreté avec la mère c'est lui, l'enfant. La mère n'exige de lui que le *contenu.*

Il est déjà là en train de Symboliser sous nos yeux, et il ne lui faudra qu'un pas de plus pour Sublimer, car finalement l'enfant s'en sortira au moyen de la sublimation qui va lui permettre de retrouver la jouissance anale, sous d'autres formes mieux tolérées, voire encouragées par les adultes. C'est l'âge des jeux sales avec la terre, l'eau, le sable, toutes matières que, contrairement aux selles, on met à la disposition de l'enfant. C'est aussi l'âge où nous voyons cet enfant se promener avec trop de choses dans les bras. Si l'une d'elles tombe, il est désolé, s'arrête, pose toutes les autres, pour ramasser la première : tout son comportement signale son attention à ne rien perdre, ce qui est une compensation au fait de « perdre » ses selles.

Là encore fait surprenant : la fille est propre plus tôt que le garçon. Evidemment, là aussi le conditionnement maternel se fait jour pour peu qu'on y prête attention : « Les mères sont plus tolérantes envers les garçons même s'ils salissent leur culotte (on sait que les garçons sont moins propres même quand ils sont plus grands), mais on attend des filles qu'elles soient plus propres [1]. »

Et Brunet et Lézine ont relevé : « Les difficultés face au pot sont plus précoces chez les petites filles que chez les petits garçons et également plus brèves (quinze à dix-huit mois, pour les filles, vingt-quatre mois à quatre ans chez les garçons) parce que, chez les petits garçons, elles se manifestent par une opposition exaspérée et prolongée, accompagnée de rites interminables [2]. »

1. Belloti, *Du côté des petites filles*, Ed. des Femmes, Paris, p. 56.
2. Brunet et Lézine, *op. cit.*

C'est clair et net, la bataille anale, c'est l'affaire du garçon ; l'opposition, c'est l'affaire de l'homme. Il semble ici que la fille ait pris une certaine avance sur le garçon, et qu'en traversant précocement la « solitude » du stade du Miroir, elle ait atteint plus vite le langage et la symbolisation qui vont l'aider à comprendre qu'elle peut donner « cela » tout en conservant le reste de sa personne ; idée que le garçon a du mal à réaliser, tant il est englué encore à cet âge dans la relation symbiotique à la mère. De plus, le retournement hystérique continue son chemin chez la petite fille ; elle se trouve du côté des preuves à donner de sa féminité ; celle-ci ou une autre... Alors que le garçon est encore sur le versant psychotique, et qu'il a bien du mal à ne pas se croire menacé d'être résorbé par la mère et son désir.

Et comme il sent confusément que c'est son sexe de garçon qui attache particulièrement sa mère à lui, il croit qu'avec ses selles elle veut aussi son sexe. Il croit qu'elle veut le lui ravir, le lui amputer, lui voler sa puissance de garçon, que sais-je encore ? Freud a appelé cela « Angoisse de Castration » et « ils » donnent à la femme le nom de « Castratrice ».

En tout cas, à l'âge anal, s'installe pour le petit garçon la panique, il s'oppose, il refuse, il temporise, il croit qu'avec ses selles on veut sa peau. Il devient énurétique, encoprétique (symptômes beaucoup plus masculins que féminins) : il ne veut rien de ce qu'« elle » lui demande, il se croit visé, touché, menacé (castré ?)...

Plus tard, revivant le même fantasme, il sera impuissant, éjaculateur précoce ou tardif : il ne voudra pas — ne pourra pas — lui donner ce qu'« elle » demandera ; lourde conséquence de la guerre du fils à sa mère.

C'est ici que commence la lutte contre la femme, c'est ici que naît la *misogynie* dont se plaignent tant les femmes, mais dont elles ignorent que l'origine est une autre femme, qui elle aussi a tenu à son privilège de Mère, et a semé chez son fils la crainte indestructible de la Castration face au désir féminin.

Au stade anal, le petit garçon joue à la guerre ; avec des soldats il s'invente des ennemis et des amis, il imagine des vainqueurs. Il menace, il tue, et c'est la transposition de ce qu'il ressent : il est lancé dans une guerre avec sa mère pour un objet qui lui appartenait au départ (ses selles) et dont on veut le démunir. Mais gagner la guerre en refusant d'obtempérer au désir de la Mère n'est-il pas trop dangereux ? Ne risque-t-il pas d'y perdre celle qu'il aimait ? D'où la naissance de l'*ambivalence* vis-à-vis de la femme, l'homme ne passe-t-il pas son temps à la détrôner d'un endroit, pour la déclarer Reine ailleurs ? L'homme peut-il se passer d'« adorer » celle que, par ailleurs, il domine du haut de son empire phallocrate ? Donc *misogynie* et *ambivalence* se côtoient ici pour la première fois et ne cesseront de faire route ensemble au cœur de l'homme.

En tout cas, dans sa longue résistance anale à la mère, il semble que l'homme ait appris à se garantir au maximum de l'attaque extérieure, ce qui lui servira ailleurs que dans son ménage. Ne sera-t-il pas le défenseur acharné de ses droits, de ses possessions, de sa liberté ?

Et n'est-ce pas auprès de sa Mère jugée « castratrice » que l'homme a commencé à se défendre si énergiquement, si agressivement dès qu'on touche à ce qui est à lui ? D'abord il a connu la lutte contre la Symbiose avec Elle, et puis maintenant la lutte contre son désir exprimé et l'homme en gardera le souvenir cuisant qu'on a voulu l'amputer d'abord de son sexe, et ensuite de bien des choses. Il en a conçu l'habitude de se dérober à la demande, de se réserver, de se taire, de ne pas donner pour ne pas risquer d'être perdant, et cela réapparaît dans l'analyse ; écoutez ce qui se dit sur le divan :

« Ne pas parler, pour vous emmerder, là ! J'ai payé le droit de me taire ! »

« Je viens en analyse parce que je sais que vous êtes tenue au silence et que vous êtes coincée, ma mère avait toujours quelque chose à dire elle... Merde. »

« Je ne peux pas supporter que vous parliez, ça me coince, j'ai l'impression que vous me barrez la route... »

« Une analyse avec une femme ? Pour voir qui de nous deux gagnera à la fin. »

« Parole-distance, parole-mur, pour se protéger, se servir de la parole comme rempart pour empêcher l'autre d'avancer. »

« Je veux bien payer, mais je ne peux pas supporter que vous ayez la jouissance de ce fric qui est à moi. Je ne peux pas supporter de vous donner quelque chose pour vous... »

« Ne pas se souvenir de ses rêves pour ne pas faire plaisir à l'analyste. »

« . . . . » celui-ci n'a rien dit, au moins est-il sûr de n'avoir rien laissé chez moi...

Obsession de l'homme : ne rien me donner, me situer comme *morte,* comme *inexistante,* se battre avec moi des années pour *gagner sur moi.* N'est-ce pas exactement le contraire de ce que disaient il y a quelques instants les femmes qui venaient chez moi *se nourrir, prendre, payer,* etc. ? Toutes ces paroles négatives, agressives, je les entends le plus souvent chez l'homme, plus rarement chez la femme (car il lui arrive assez exceptionnellement d'être prise comme objet sexuel par la mère).

Tout le jeu anal de l'homme est là : comment empêcher que l'autre n'existe ? Comment faire disparaître son désir ? Comment le tuer fantasmatiquement ? Ces désirs de mort vont s'appliquer chaque fois que l'homme se trouvera face à la femme, et en particulier face à « sa » femme. Il vient se plaindre que sa femme demande des choses qui le dérangent, des choses qui lui sont personnelles. Alors que pour lui la sexualité serait le lieu de sa vengeance, de son règne, il se plaint qu'elle veuille y récupérer quelque chose pour elle. Il se plaint qu'elle ait un Désir. Il trouve scandaleux qu'elle veuille exister autrement que ce qu'il en a décidé. Mais écoutez plutôt :

« Pendant qu'on fait l'amour, je n'aime pas qu'elle bouge, ni qu'elle parle, ça me coupe tout... »

« Je n'arrive à faire l'amour avec ma femme que si je prends une certaine distance avec elle, sans cela c'est l'échec. »

« L'idéal pour moi, ce serait baiser avec une femme dont je ne saurais rien et qui ne demanderait rien, surtout aucun échange affectif, seulement le corps. »

« Sexualité = vengeance = viol, là ! C'est clair : en baiser le plus possible, pour se venger le plus possible... »

« Après l'amour, elle aimerait que je reste tranquille auprès d'elle, mais moi je ne peux pas, je me sens tout drôle, vachement démuni, il faut que j'arrête cette impression, il faut que je mange ou que je boive, que je me mette quelque chose au milieu. »

« Elle voudrait que je lui dise des mots d'amour, moi je ne peux pas à cause de la distance dont j'ai besoin avec elle, alors qu'elle, je sens bien qu'elle voudrait qu'on soit proches. »

L'homme ne semble-t-il pas dans ces propos, arrachés à une longue litanie de récriminations masculines, obsédé par la Distance, le Silence, la Perte ? Ne craint-il pas surtout la FUSION alors qu'il recherche le coït avec celle qu'il aime ?

Ne retrouvons-nous pas ici au sein du rapport sexuel, la dialectique anale, d'arriver à donner tout en « se » gardant, « se » protégeant de l'autre et de sa demande ? L'homme au lit ne cherche-t-il pas le plus souvent à ne donner que son sperme et rien de plus ? Il s'agit pour l'homme d'employer n'importe quelle technique, mais surtout de ne rien livrer de soi. Est-ce cela que les femmes attendent de leurs partenaires ? Tant que l'homme n'aura pas changé de mentalité, c'est-à-dire tant qu'il n'aura pas moins peur de la demande de la femme, quel amant pourra-t-il être ? Quelle réponse pourra trouver en lui la femme obsédée au contraire de proximité et d'intimité ?

Le divan révélateur

Le divan nous a servi ici de loupe grossissante, car y viennent celles ou ceux qui présentent à la puissance 2 ou 3 les symptômes habituels aux individus dits normaux. Et ce que j'entends comme analyste c'est ce qu'ELLES arrivent à dire alors que la plupart le taisent, c'est ce qu'ILS en ressentent alors que la plupart ont atteint un taux d'insensibilité presque parfait.

Le dire de chacun de ces patients peut être repris au moins en partie par chacun et chacune de nous, ils servent ici de porte-parole à la plainte sexiste. Ils ont servi de danseurs dans une chorégraphie aux figures rigoureusement établies où hommes et femmes évoluent de façon radicalement différente, et le ballet des mots a été parfait : ce que dit l'homme, comme ce que dit la femme (quelques transfuges mis à part) pourrait leur être attribué les yeux fermés. Quand on est enfant d'Œdipe et de Jocaste, on n'a plus besoin des yeux pour évoluer, la vérité s'est gravée au plus profond de soi.

C'est pour cela qu'Œdipe s'était crevé les yeux, mais trop tard, il en avait trop vu pour oublier, et nous aussi parfois...

Le chemin devient plus doux à mesure qu'on marche, c'est-à-dire qu'à force d'être obéissant, doux, bon, on s'y habitue tellement que cela ne coûte plus d'obéir.

COMTESSE DE SÉGUR

6.

SOUVENIR D'ENFANCE
(qui n'est pas de Léonard de Vinci...)

Me lever la nuit, quand chacun dort, quand plus personne ne déborde sur ma vie, et m'interroger moi-même, sur la petite fille que j'ai été et qui ressemble tellement à celles dont on me parle sur le divan. En quoi celle-ci et celles-là se rapprochent-elles ? Par le silence : vous et moi avons connu le même silence, la conspiration du silence autour de notre sexe.

Et je ris quand je pense à la fièvre qui s'emparait de moi dès que mes parents quittaient la maison et que je me retrouvais seule pour quelques heures : c'était le pillage, où plutôt non, l'investigation systématique du tiroir de « sa » commode, et pas n'importe lequel... Le premier n'était pas intéressant, il contenait des lettres, des objets de piété, quelques photos jaunies ; non, celui qui m'intéressait, c'était le second, celui où « elle » rangeait son linge personnel, ses soutiens-gorge, culottes, garnitures périodiques devant lesquelles je me livrais à toutes sortes d'hypothèses... les plus variées, sans aucun rapport d'ailleurs avec le sexe, en général. Ce que cherche la petite fille quand on ne lui a rien dit concernant le sexe, c'est la différence entre elle et sa mère, et cette différence, elle ne sait pas où la situer, mais c'est sûrement dans le corps que ça se tient, pense-t-elle ; donc j'allais toujours désespérément vers ce tiroir du linge de corps de ma mère.

Il faut dire que j'avais quelque raison d'être intriguée et de soupçonner une vérité qu'on me cachait. Non seulement j'étais témoin de l'intérêt de mon père pour ma mère, mais récemment, lors de mes six ans, « elle » avait trouvé le moyen de me stupéfier en m'annonçant la venue d'une petite sœur ou d'un petit frère, dont il avait été impossible de savoir l'origine : je crois bien que c'est à partir de là que j'ai cherché « le secret » de ma mère.

Actuellement, je crois qu'aucune mère ne tiendrait son enfant dans l'ignorance, mais les réponses sont aussi variées que l'appartenance à un parti, et croyez-moi, ce ne sont pas les partis de gauche qui gagnent en ce domaine ! Depuis l'explication banale du bébé dormant près du cœur de la mère (pourquoi dormant puisqu'il bouge ? et pourquoi près du cœur, sinon parce que ça éloigne pour quelque temps encore du lieu plus bas situé, le ventre, si près du sexe...), jusqu'à celle assez terrorisante, de l'ouverture du ventre par le docteur pour chercher le bébé, on a droit à toutes les variantes. On se demande pourquoi si peu de femmes ont le courage (en est-ce un ?) de dire la stricte vérité : la seule raison en est à la conservation du « secret », ce secret protégeant, de façon évidente, la connaissance du vagin, et peut-être la découverte de la masturbation par la fillette. Alors que celle du garçon est automatique, il règne encore autour du sexe caché de la petite fille un mystère dont on se sert pour la conserver à l'état d'ange. Enfin, comme vous venez de le voir, une « sorte » d'ange qui joue au docteur et met le thermomètre, les sensations produites ainsi n'étant pas à dédaigner, parce que, vous le savez, les muscles sont communs à l'anus et au vagin : mais la *jouissance* qui se vit là peut rester ignorée des parents. Le « petit ange » peut également se transformer en pilleur d'intimité, mais a peu de chances de comprendre le vrai de cette histoire.

Ces intermèdes de recherche fébrile mis à part, je me montrais donc la petite fille sage qu'il fallait être pour plaire aux grandes personnes et être acceptée d'elles ; à vrai dire, je me sentais considérée comme quantité négligeable : « une enfant », et surtout pas une petite femme, ce qui fait que je ne voyais pas grand rapport entre ce que j'étais alors, et ce que je deviendrais ; et comment le deviendrais-je ? là non plus pas de réponse, le blanc, l'inconnu : il s'agissait donc d'attendre, sans vouloir posséder ce que les autres avaient, en particulier ce qu'avait ma mère.

Et pourtant, un jour, par mégarde elle oublia ce qu'elle

n'aurait jamais dû oublier, vu ses précautions envers mon innocence, et je trouvai aux W.-C. « la chose » rougie de sang frais, mais quelle chose ? Je pensais (Dieu me garde d'avoir été si tôt versée dans le fantasme psychanalytique) à une maladie honteuse, ou blessure secrète. J'étais toujours « hors de » ce qui se passait dans cette maison et surtout dans cette mère, d'où nouveau refoulement, nouvelle décision de ne plus rien leur demander à « eux », et de ne pas voir ce qu'il ne fallait pas regarder.

Il est facile ensuite de dire que les femmes sont phobiques, c'est-à-dire ont peur de voir ou de savoir, d'où leurs difficultés à avoir une vue panoramique des choses paraît-il, au point même qu'en voiture elles se conduisent de façon parfaitement immédiate, freinant trop tard, etc.

Mais, reprenons le fil de ma mince existence, mince jusque-là tout au moins, car si je m'étais crue une enfant asexuée et non concernée dans mon corps, ma paix allait se briser sur le rocher de la parole maternelle m'annonçant que j'allais devenir une « jeune fille » et avoir chaque mois des « pertes », pertes que ma mère mit scientifiquement en rapport avec mon ouverture secrète et sa future fonction maternelle et conjugale ; mais rien ne fut dit sur le désir, rien sur le plaisir. Tout cela me parut inacceptable, et surtout je le mis en rapport immédiat avec le « secret » qui ne pouvait avoir comme origine que la honte des adultes de faire pareilles choses.

J'eus donc d'abord des seins et ensuite des règles, confirmation éclatante que je faisais partie de l'affreux secret. Mais ces signes de mon corps que je croyais miens, ne voilà-t-il pas qu'ils allaient les faire leurs ? Je n'oublierai jamais ce cousin (que je n'avais jamais entendu parler sexualité, et qui n'en a, d'ailleurs, plus jamais reparlé sinon pour apprécier les avantages de l'une ou l'autre de ces dames) disant à ma mère aussi naturellement que s'il avait constaté que le prix des fruits était en hausse : « Tiens Christiane se forme ? » en louchant de façon non équivoque sur mes nouvelles rotondités.

J'aurais voulu rentrer sous terre, me sentant « prise » pour la première fois par le regard évaluateur d'un homme. Ah ! sacré cousin, ne m'en veuille pas aujourd'hui si je te dis que j'ai souhaité que tu deviennes aveugle dans l'instant ! T'avait-on jamais demandé à toi une seule fois de ta vie : « Alors ces éjaculations nocturnes, mon petit Xavier, ça y est ? » Je sais bien que non, va...

Je suis devenue, ce jour-là, quelqu'un à regarder, à prendre, d'abord par le regard, et puis à prendre dans un lit et puis à prendre comme femme, à choisir comme reproductrice, etc. Oh ! l'horrible cauchemar, j'étais à vendre, à posséder, je serais le bien de, la femme de, la mère de, je « serais », si j'acceptais tous ces rôles, sinon je ne serais rien et je continuerais d'attendre.

C'était à prendre ou à laisser, mais j'étais têtue, j'ai fait semblant de ne pas comprendre ; si un garçon me faisait une déclaration, je tombais des nues, et déclarais qu'il était fou ou obsédé, si un autre me demandait gravement d'être sa femme, je m'estimais appréciée sur le marché des dupes, et je prenais la poudre d'escampette, somme toute je me conduisais comme un bas-bleu et je m'étonne aujourd'hui d'une innocence aussi longtemps prolongée chez une jeune fille par ailleurs dite normale, c'est-à-dire présentant un aspect extérieur conforme à son milieu et à sa culture.

Mais ce n'était qu'apparence sur laquelle tout le monde se méprenait ; en fait, écœurée de ce qu'on attendait de moi, je m'étais donné un autre but : réussir brillamment mes études et, passant outre aux garçons, je passais bien mes examens.

Je voulais absolument être appréciée pour l'intérieur et non pour l'extérieur de ma personne, mais hélas j'avais l'impression de nager à contre-courant, d'avancer à rebrousse-poil : mon système ne fonctionnait que pour moi, et on semblait continuer à ne voir de moi que l'extérieur. Combien de temps allait durer cette plaisanterie ?

La réponse je la connais maintenant : *toute la vie.*

On me sifflait, on m'accostait, on me détaillait, de quoi ne plus oser sortir dans la rue. (Savez-vous qu'il y a de nombreuses femmes qui n'osent plus affronter la rue, parce qu'elles ne s'y sentent pas des êtres humains, mais des choses mises à l'étalage, savez-vous que ce qui frappe en premier les jeunes filles étrangères venant chez nous, c'est le regard baissé ou levé, insaisissable des femmes et le regard baladeur des hommes ?) On me disait : tu me plais, tu es belle, je voudrais t'épouser, et je voudrais des enfants avec toi. Il n'y avait pour moi aucune logique à ce que j'entendais, je savais que j'attirais les hommes par ce qui était le moins important de ma personne : j'aurais voulu que quelqu'un commençât par un autre langage que celui de l'extérieur. J'aurais voulu que quelqu'un me demandât : « Qui es-tu ? Que penses-tu ? Comment vis-tu ? Que cherches-tu ? »

Que quelqu'un commençât par une chose humaine qui eût trait à moi et non à ce misérable corps qui paraissait toujours s'interposer entre l'autre et moi, ce corps embarrassant de désir, ce corps mis en comparaison avec celui de mes compagnes, ce putain de corps dont je finissais par comprendre qu'il serait mon seul allié dans la lutte pour l'existence. Et Dieu sait que je voulais vivre, mais pas comme cela !

Alors, finalement, j'ai décidé devant « leur » entêtement de me servir de cette valeur pour eux, non-valeur pour moi et je me suis mise à user de cette injustice permanente que représente la beauté ; tout s'arrangeait pour moi avec un sourire, il suffisait de ne pas s'opposer, c'est-à-dire de se taire et de se laisser regarder.

Je découvrais peu à peu que j'avais en lieu et place d'un esprit productif, un corps désirable et que l'homme rêvait de se l'approprier de façon temporaire ou définitive. Je voyais clairement que je n'aurais pas le choix de ma production : ce serait l'enfant. Heureusement, mon corps a pu donner naissance, car celles qui ne le peuvent pas sont autrement malheureuses : dans un couple qui ne peut pas se reproduire, l'homme se rétablit par une autre production, il laissera de lui une autre trace, la femme, elle, n'a pas d'autre lieu où imprimer sa trace que sa descendance. Comme si l'on demandait aux hommes d'avoir tous le même métier !

Les femmes n'ont qu'un métier, l'amour et l'enfantement ; les hommes en ont mille, selon leurs goûts, leurs capacités. L'homme a le choix de sa production, la femme pas, elle est enchaînée à la productivité de son utérus.

A la limite, chaque membre du couple a enfermé l'autre dans une problématique différente : la femme est prisonnière de l'argent de son mari, et le mari est prisonnier de l'enfant que sa femme lui donnera, ou ne lui donnera pas. Drôle d'histoire !

Donc, les hommes et les femmes vivent dans le même immeuble collectif mais n'habitent pas le même étage, et la ségrégation est absolue. Rares sont les transfuges, et la maternité, ainsi que la beauté, sont les critères de cette ségrégation, à croire qu'avec ces deux éléments nous avons eu la part assez belle pour renoncer à tout le reste. Mais qui dit cela ? sinon les hommes qui, sans doute malades de jalousie, touchés à leur tour par le mal féminin de « l'envie de », se vengent à vie en nous enfermant dans cette sacrée maternité qu'ils ne partagent pas. Ils nous attribuent là la toute-puissance et, eux, ils se réservent les autres toutes-puissances : n'ont-ils pas bataillé pendant des années pour rester maîtres de cette maternité ! Ne les avons-nous pas vus se bagarrer contre nous pour cet enfant à venir qu'ils considéraient comme leur choix et non comme le nôtre ? Ils régnaient, de façon détournée, mais ils régnaient sur la maternité. Comment auraient-ils pu accepter que le peu qu'ils en avaient leur échappât avec la liberté de l'avortement ?

Donc j'habite l'étage FEMMES et, tout en me mariant (fort tard) et tout en faisant des enfants et tout en nourrissant mon mari et mes enfants, je ne cessais de réfléchir à ce qui m'était arrivé, parce que j'étais née avec un sexe de femme. J'ai réfléchi longtemps, comme les autres femmes, et je me suis tue comme elles. On me parlait moins de mon corps, mais de mes enfants que l'on comparait à ceux des autres. Toujours le même petit jeu, mais maintenant on jouait avec nos enfants et toutes les femmes jouent à gagner avec leurs enfants qui ne peuvent plus vivre tranquilles et se trouvent pris d'emblée dans la comparaison entre femmes. Comment voulez-vous qu'ils soient heureux de cela, nos chers petits ?

Mon corps avait été lieu de norme et de comparaison, maintenant mes enfants devaient servir d'atouts dans la bagarre où ma naissance m'avait précipitée, mais quelle bagarre ? Ma vie était-elle une partie de cartes où seulement quelques atouts me seraient comptés ? Et les atouts, c'était maintenant évident, ne seraient pas les mêmes pour les hommes et pour les femmes.

Alors, j'ai décidé de compter nos avantages à tous deux ; c'était vite fait : tous les miens étaient du côté du corps, tous les siens du côté de l'esprit.

Il était évident qu'à tous les deux nous formions un « tout » complet à condition que je me tusse, que je ne voulusse pas plus de la féminité et de la maternité... que ce qu'il m'octroyait.

Si je regarde ma vie d'enfant, si je regarde ma vie d'adulte, elles sont superposables de toute façon, on me tient « hors de », je dois me tenir loin de toute action sociale autre que celles qui ont à voir avec le corps : s'il y a une ministre, elle est de la Santé ou de l'Education, ou des Affaires sociales ; les femmes sont tenues à distance comme des sorcières, c'est ce que certaines commencent à dire.

Des draps blancs dans une armoire.
Des draps rouges dans un lit.

JACQUES PRÉVERT

7.

LE DÉSERT BLANC

Comment l'appeler ce temps des petites filles où, sous des aspects conquérants et charmeurs, nos filles cherchent en vain un partenaire « désirant » de leur personne ?

Elles ont fui rapidement les jupes maternelles, comprenant que de là ne viendrait aucun salut. Mais où aller ? Le père, qui est l'autre pôle de l'alternative sexuelle du couple parental, est alors recherché comme celui qui pourrait apprécier chez sa fille ce qu'il n'a pas : ce début de féminité qu'il devine sous les apparences plates de la fillette. La fille a le désir d'être perçue comme « autre », comme différente du sexe mâle : seul le père pourrait remplir cette fonction auprès d'elle.

Une petite fille qui est arrivée à ce que son père abandonne son journal, et qui a grimpé sur ses genoux, est une petite fille qui prouve par tout son corps, qu'elle a atteint le lieu où toute inquiétude cesse pour elle : le père, pour la fille, c'est la sortie de l'absurde, c'est le moyen d'accepter comme « bon » son corps de petite fille : le père c'est le but.

Mais hélas, le plus souvent, le père n'est pas là, il est absent de chez lui, absent pour toute la journée, il ne reviendra que le soir pour parler avec la mère, coucher avec la mère, et la petite fille n'existera que « retransmise » par la mère. La petite fille se désespère de n'exister aux yeux de personne, car tout le monde l'aime bien mais personne ne la considère comme sexuée, et sa vie est aussi plate que son corps... Alors, elle a une idée : puisqu'elle ne peut pas vraiment exister, elle va s'inventer une existence avec sa poupée (heureusement qu'on a inventé la poupée, non pour conditionner les filles à leur futur rôle de mère, mais parce que c'est *la seule image corporelle* conforme au corps de la petite fille). Elle s'est enfuie sans bruit d'entre les adultes et est allée chercher sa pareille, celle qui peut être comme elle et à qui il ne manque que la parole qu'elle va lui donner. Parole, catharsis indispensable dans le désert de solitude que traverse l'enfant-fille.

Si vous ne donnez pas de poupée à une petite fille, elle s'en inventera une à partir de n'importe quoi, et même cachée au plus secret d'elle-même, pour pouvoir communiquer avec elle, en cas de désastre... Et, des désastres, il y en aura sur sa route ! Cette poupée, elle va lui faire vivre à la fois tout son avenir qui ne vient pas assez vite, et tout son présent de petite fille « insatisfaisante » donc « méchante ». Avez-vous remarqué comme dans le jeu de la poupée on retrouve toujours clairement les deux personnages, la fille et la mère, et comme la fille n'est pas sage, et comme la mère la gronde ? Mais qu'est-ce que cette poupée « vilaine » sinon l'image de la petite fille elle-même ? Celle qui est bonne, c'est la mère avec tous ses atouts de grande personne sexuée et son accès au désir du père. En effet, une vie de petite fille cela ne peut se vivre qu'au FUTUR, qu'en femme à venir, le présent n'est que sexe inexistant, que père absent.

Parfois, la fillette a le désir d'émigrer dans le corps sexué d'un garçon qui lui au moins a une place authentique. Ce n'est pas le pénis du garçon qui est envié, alors, c'est le statut même de garçon. Souvent les filles ne veulent que des poupons garçons soit pour les gronder, soit pour les chérir d'avoir une place que la fille sait ne pas pouvoir occuper.

La fille n'a aucun moyen de passer la barrière qui la ferait entrer dans le champ du désir œdipien. Elle n'a ni atouts puisque son sexe n'est pas reconnu, ni objet puisque son père (sauf rares exceptions) ne s'occupe pas d'elle. De plus, elle ne connaît de son sexe que la moitié, le reste étant exclu de tout éveil manuel par la mère, celle-ci n'intronisant jamais pour sa fille que la masturbation extérieure, clitoridienne (et encore, bien mal, avons-nous vu, puisqu'elle méconnaît la jouissance de son bébé-fille à cet endroit, ne reconnaissant pas dans la plupart des cas son propre clitoris comme typiquement féminin). Cette masturbation première, clitoridienne, restera quand même inscrite dans le corps de la fille, résistante à toute frigidité : les femmes le savent, le disent, même si elles ont une sorte de honte à en parler depuis que Freud en a « déparlé ».

La deuxième moitié de son sexe, on lui dit (si elle a la chance qu'on lui en parle) que ce sera l'homme qui la lui dévoilera quand elle sera grande... Toujours ce FUTUR, toujours cet homme à attendre comme révélateur. Révélateur de qui ? De quoi ? De sa jouissance à lui, de sa jouissance à elle ? Vagin, lieu de jouissance commune à l'homme et à la femme ? Lieu symbiotique, psychotique ? Vagin aliéné à l'autre, au désir de l'autre, à la jouissance de l'autre. Clitoris, jouissance clitoridienne, soustraite à l'autre, peut-être plus véridique, moins suspecte de comédie. Questions à se poser quand on parle de la double jouissance de la femme...

Le tout est que d'être fille, c'est vivre en attente : sur le plan psychique, c'est espérer l'arrivée de l'homme comme objet sexuel adéquat, sur le plan physique, c'est guetter les preuves d'un sexe longtemps invisible.

Mais dans l'immédiat comment vivre privée des signes du sexe sinon en *imitant* la femme ? On en emprunte les talons, on en inaugure le fard, on en mime le langage : on « joue à la dame », puisqu'il n'y a pas de valeur reconnaissable chez la petite fille et que tout est du côté des « dames ». La copie, c'est tout ce qui lui reste à faire, à cette petite fille, tenue si loin de tout, et pendant que son identité est tenue au silence, au secret, son identification devient évidente pour tous, et tout le monde l'y pousse : « Oh ! quelle bonne petite maman ! », « Comme il est sage ton bébé ! ». Il paraît même que dans certaines peuplades noires, la feinte est encore plus évidente : la petite fille marche en bombant le ventre et les femmes qui passent le lui tapotent en demandant : « Alors tu attends un bébé [1] ? » La mystification vient du dehors : on pousse la petite fille vers la femme.

Au lieu de reconnaître *ce qu'elle a* de spécifique comme petite fille, on préfère la pousser vers la *beauté* qui l'attend, la *maternité* comme accomplissement, le *mariage* comme loi...

1. Margaret Mead, *L'Un et l'Autre Sexe*, trad. franç., Ed. Denoël/Gonthier.

Dans un premier temps, on l'empêche de vivre sa sexualité de petite fille, pour qu'elle soit un « petit ange ». Que fait un ange ? Il vit là-haut, très haut, dans le ciel, seulement en esprit, et nous retrouvons la petite fille du côté de la Sublimation, cette Sublimation dite si absente chez les femmes est incroyablement présente dans la vie de la petite fille : les petites filles dessinent beaucoup mieux que les garçons, écrivent des poésies beaucoup plus belles, inventent des pièces de théâtre beaucoup plus vivantes que ne le font les garçons...

Seulement, dans un deuxième temps, on va leur inculquer (lors de la puberté surtout) le culte du corps-objet-pour-plaire, de la maternité à prendre comme but et les petites filles devenues femmes changeront de but et perdront le goût de la sublimation.

Que voulez-vous, l'homme n'attend pas de la femme qu'elle lui parle (sa mère lui en a assez dit...), mais qu'elle jouisse « grâce à lui », et qu'elle enfante par son « intermédiaire ». Il n'a rien à faire des sublimations de sa femme ; la seule admise, la seule recommandée est celle qui a trait aux sciences de l'éducation, de la psychologie (peut-être de la psychanalyse sait-on jamais ? la femme est tellement versée dans tout ce qui s'appelle « commencement »...). On lui attribue tous les débuts de la vie humaine, dans ce qu'ils ont de naturel puisque inscrits dans son corps, et dans tout ce qu'ils ont de castrateur pour elle. Finalement la Sublimation, inexistante aux yeux de Freud en ce qui concerne la femme, ne m'apparaît pas comme *incapacité féminine,* mais comme *interdiction masculine.* La Sublimation, c'est l'homme qui l'arrache à la femme en lui imposant l'enfant. Enfant qui l'occupera toute sa vie, privilège qui se transforme en frustration. Pas question d'aller montrer le nez ailleurs : ailleurs c'est l'homme, les idées, la politique, la science, l'industrie, en un mot la force pensante de la nation. Nous, nous devons nous en tenir au corps, corps jouissant, corps engendrant, corps souffrant, les hommes ne nous veulent que là.

A partir de l'adolescence et de la rencontre avec l'homme, la Sublimation change de bord, car la femme est enfermée dans son corps. C'est un renversement total des valeurs : après dix ou douze ans sans corps sexué, elle vit trente ans enfermée dans l'histoire de ce corps sexué qui déclenche l'intérêt de l'autre, cet autre qu'elle a tant appelé de ses vœux ! Il vient, et, contrairement à ce qu'elle espérait, ce n'est pas la vie qu'il lui apporte mais la mort, elle existera en tant que corps, mais elle sera perdue ou mise en difficulté pour tout ce qui est de l'esprit.

Cela ne vaut-il pas que nous nous arrêtions un moment sur le genre de vie que nous propose l'homme ? J'ouvre n'importe quel journal féminin et je connais tout de suite les murs de ma prison : le corps et sa jeunesse, la cuisine et sa réussite, l'enfant et son éducation... Je tourne les pages, je cherche, j'attends... Quoi rien d'autre ? Non, c'est cela l'univers féminin : prisonnière de mon corps, esclave de celui des autres.

Corps féminin, toujours gênant, parce que trop absent dans un premier temps, et trop présent par la suite où il envahit tout l'espace vital de la femme. Et les femmes se sentent incapables de se défaire du « trop » et du « pas-assez » de féminité qui est leur lot. Elles naviguent entre le trop et le pas-assez toute leur vie allant de l'un à l'autre, sans rien y pouvoir. Souvent c'est le « pas-assez » qui gagne, souvent le corps se révèle antinomique de l'esprit, et sur le divan j'entends :

« Si on me regarde, si un homme fait attention à moi, je deviens stupide, incapable de penser, de répondre, même à ce qu'il me dit. »

« Je suis comme une feuille dans le vent, une feuille vous savez ça n'a pas d'épaisseur... »

« Mon enfance, rien, ça n'était rien, je la vois comme quelque chose de tout blanc, un univers vide. »

« Petite je ne me vois pas, je crois que je n'avais pas de place, je me souviens de mes frères, de ma mère, mais moi... »

Comment ne pas entendre lorsqu'on est une femme ? Comment ne pas comprendre que tout cela traduit l'impossibilité à atteindre un niveau d'existence autre que celui de l'aspect extérieur ? Comment ne pas se souvenir que l'extérieur ayant servi d'intérieur pour la petite fille, maintenant la femme manifeste que l'extérieur insuffisant cohabite avec un intérieur vide ? Comment ne pas voir que ce vide si souvent éprouvé est celui qui a empreint toute la relation mère-fille, dont le désir était absent ?

Ne pas être désirée, c'est ne pas vivre : n'est-ce pas ce que nous disent toutes ces jeunes filles anorexiques qui, refusant le désir, s'avancent à partir de là vers la mort ? Pourquoi refuser le désir, sinon parce qu'il débute brutalement comme quelque chose d'insolite dans la vie de la fille habituée à la relation *blanche* avec tous et toutes. La vie d'une femme c'est un désert blanc, suivi d'une oasis colorée, avec retour au désert blanc. Et la femme a du mal à assumer tant de changements brutaux de son corps qui chaque fois la font passer du TROP PEU au TROP et inversement.

Le souhait de la femme, de toute femme, est de rester le plus longtemps possible dans la partie colorée de sa vie, la terreur principale est de retrouver le « blanc » de l'enfance. De sorte que la femme, par son histoire, fera tout pour se maintenir dans la position « œdipienne » colorée, ce qui l'établit dans le désir de l'homme, qui la veut dominée. Et le chant phallocrate de l'homme agira alors comme le chant des sirènes entraînant les femmes à leur propre perdition.

Ne voyons-nous pas de quel prix les femmes payent ce maintien dans l'oasis ? Et les luttes intestines qui s'y jouent autour de cet homme trop tard apparu dans la vie de la fille ? Ces luttes se jouent à coup de jalousie, fameuse jalousie conçue au côté de la mère-rivale écrasante, et revécue ici vis-à-vis de toute autre rivale vue comme ennemie mortelle. Si le garçon, dans son histoire œdipienne, en veut d'abord à son père-rival, puis à sa mère possessive, la fille elle, N'EN VEUT QU'A SA MÈRE, et puis à toutes les autres femmes.

« Les femmes se haïssent », a dit Annie Leclerc, mais elles se haïssent au nom de la mère trop présente et à propos du père trop absent de leur vie d'enfant, et que par la suite elles ne veulent plus quitter. Il est frappant de voir le degré d'idéalisation du Père par la plupart des femmes, en comparaison de l'image très mauvaise de la Mère, quel qu'ait été ce père. Et si ce père, pour une raison très apparente, ne peut être magnifié, sa fille en devient dépressive, suicidaire, car elle n'a plus de répondant même idéal de sa féminité. Le manque de regard masculin dans l'enfance de la fille la rendra *esclave de ce regard* pour le restant de ses jours... Et le manque d'image dans le miroir maternel, rendra la femme prête à adopter toutes les images qu'on lui proposera, elle se déguisera en tout ce qu'on voudra pourvu qu'on veuille bien jouer avec elle au cache-cache du désir.

La femme se souviendra toujours qu'elle a joué son premier rôle sur la scène œdipienne pour y faire apparaître son père encore dans les coulisses, et elle saura toujours jouer la comédie qui fera sortir l'homme de sa neutralité. Terrible destin que celui d'être écartée de l'Œdipe pendant des années, terribles conséquences sur le narcissisme insuffisant de la femme, sur sa culpabilité perpétuelle par rapport à une norme située ailleurs qu'en elle, et sur la naissance de son Sur-moi qui me semble-t-il est beaucoup plus sévère et contraignant que celui de l'homme (contrairement aux assertions de Freud).

Mais enfin vient le jour où elle a des signes qui apparaissent sur son corps, vient le jour où un garçon dans la rue la siffle et où elle sent que quelque chose chavire pour elle, si ce n'est « tout elle » qui chavire. Elle rentre en courant chez elle : comment, cette longue attente est-elle finie ? Le désert va-t-il se peupler ? et sa petite ombre qui circulait tranquille hier encore dans la rue, va-t-elle tomber sous le feu des projecteurs ? Ce corps qui vivait dans le « blanc » devient tout à coup si coloré que la jeune fille en rougit jusqu'aux oreilles : comment faire autrement et passer naturellement de l'indifférence au trop de différence ?

Deux attitudes sont possibles lors de la puberté :

D'une part, la fillette se réjouit à l'extrême d'entrer enfin dans le champ du désir (elle a douze ou treize ans) et elle collabore au maximum, elle rattrape le temps perdu, elle en rajoute, elle se met en valeur, pour attirer ce fameux regard masculin qui lui apparaît comme la réponse à son éternelle question « suis-je bien une femme ? » Si, jusque-là, elle avait tout fait pour donner les preuves de sa conformité morale à la norme proposée de la petite fille — sagesse, rapidité, gentillesse —, maintenant elle va s'attacher à donner toutes les preuves de sa conformité au modèle physique de la jeune fille : rien ni personne n'est plus intolérant quant à l'aspect physique et l'habillement que la fille de quatorze ou quinze ans ! C'est là qu'éclate de façon visible l'opposition à la mère, car sa fille veut être une femme, mais pas comme sa mère, surtout pas ! Avec celle-ci, elle n'a connu que différence, elle entend continuer. Homosexualité apparente, mais en fait inexistante de la mère à la fille : mère qu'elle a refusée comme l'« autre femme » mieux pourvue qu'elle et qu'elle continue à refuser ici, alors que la similitude des corps devient apparente. Seulement la mieux nantie à présent, c'est la fille, c'est elle que l'on regarde, et la fille s'en montrera d'autant plus arrogante, que c'est elle désormais la « gagnante ». L'homosexualité de l'adolescence, que la mère voyait arriver d'un bon œil, comme rapprochement possible, la fille ne sait qu'en faire et continue d'écarter sa mère de sa route, alors qu'apparemment elle vient de la rejoindre... De la rejoindre et de la dépasser car à l'adolescence le conflit mère-fille s'inverse.

« Elle est méchante, méchante, si vous saviez... », me disent les mères désespérées. Oui, je sais, mais savez-vous depuis combien de temps votre existence de femme est une menace pour son corps de petite fille ? Et, non, cela les mères ne le savent pas, et elles ne comprennent pas davantage que l'heure du règlement de comptes entre femmes a sonné et qu'il faut en prendre son parti... Celle qui est « hors du coup », c'est maintenant la mère, et sa fille ne se gêne pas pour le lui signifier, quitte à la traiter de vieille. On l'a bien traitée de petite, elle... Ces termes ne sont-ils pas de ceux qui écartent de la dialectique du désir ? La désirabilité de la femme n'est-elle pas toujours une question d'âge, et l'âge n'est-il pas la bête noire des femmes ? Femmes qui s'irritent d'être trop jeunes pour ensuite paniquer de devenir trop vieilles...

La guerre que la mère a menée sans le savoir avec sa petite fille, celle-ci devenue adolescente va la lui rendre, car elle n'a jamais pu pardonner qu'on ait écarté son père du berceau, et il est bien vrai que c'est en gardant le monopole des bébés que la mère a éloigné le père de sa fille. Si la fille se venge à coup de garçons, rien d'étonnant. La fille paraît obsédée par le fait que sa mère pourrait lui ravir son « objet », se glisser entre elle et son amour, de la même façon que la mère s'est glissée entre le père et la fille autrefois. La fille entrant dans l'Œdipe, n'a qu'une peur, que sa mère ne l'empêche encore une fois de le vivre, et c'est pour cela qu'elle combat sa mère. Que chacune de nous y réfléchisse : son amour pour sa mère n'a-t-il pas un vague goût de « réconciliation » ? La réconciliation date souvent du mariage ou du premier enfant, moment où la jeune femme ne s'estime plus menacée par l'existence de sa mère. Puisqu'elle est mère à son tour.

D'autre part, la deuxième éventualité possible est l'arrêt brusque, le refus de tout changement, la fillette habituée à la neutralité, refuse d'entrer dans le champ coloré des signes sexués et du désir, et elle hésite longuement devant la couleur « femme ». Elle s'habille volontairement de façon asexuée, refusant tout ce qui ferait féminin comme lui faisant horreur et évoquant pour elle la possibilité d'être transformée en objet, pour quelqu'un. Parfois, elle choisit de comprimer ses seins afin de les empêcher d'apparaître, ou bien elle s'habille flottant pour qu'on ne devine pas ses nouvelles formes de femme.

Cette femme, elle l'a trop détestée pour souhaiter en devenir une à présent et elle barre tout signe de féminité, elle peut même aller jusqu'à l'anorexie, car en refusant de manger elle empêche pour un temps le corps de continuer sa course, les seins de se développer, les règles d'apparaître... En général, ces jeunes filles font preuve d'une réussite intellectuelle disproportionnée par rapport à leurs compagnes, prouvant bien par là que le transport de la libido sur le corps ne s'étant pas fait, elles sont du côté de la sublimation.

L'anorexique choisit la solitude (car elle se ressent très différente de ses compagnes identifiées à la jeune fille désirable) contre le désir.

Ces jeunes filles ne nous signalent-elles pas quelle est l'importance de l'enjeu dans le renversement de la libido chez la femme à l'occasion de l'apparition des signes sexués ? Ce symptôme qui ne touche que les filles mérite donc d'être considéré comme réponse à une dialectique de changement, lequel est refusé parce qu'il entraînerait une identification inacceptable à la mère.

Pendant que le garçon du même âge continue son évolution régulière vers la « masculinité » et n'a aucun choix décisif à opérer depuis sa lutte anale avec la mère (qui l'a fait accéder ou non au rang d'homme en se défaisant de la domination maternelle), la fille vit un choix dramatique et tardif dans sa vie : « Dois-je ou non accepter la couleur “femme” ? »

« Le désert blanc » s'est transformé en univers mamelonné, parcouru par le regard des autres : la solitude de la petite fille s'enfuit brutalement, il faut qu'elle affronte le regard, qu'elle soutienne le désir, elle qui vivait depuis sa naissance dans le rêve.

Il faut qu'elle se vive au présent, alors qu'elle ne connaissait que le futur...

Et ce sera le même processus tout aussi brutal qui, quelques années plus tard, l'obligera à parler au passé, en quittant à nouveau le champ du désir. On retrouve là panique et refus de la situation : les rides on les effacera, l'âge on le cachera, les cheveux on les teindra. Mais tout cela se présente de façon brutale et la vie d'une femme n'a rien de la continuité de celle de son compagnon.

Une vie de femme c'est donc toujours trop, ou trop peu, il n'y a jamais d'équilibre entre ce corps qui fait trop de bruit ou pas assez et cet esprit qui cherche une régulation, une évolution progressive et logique. C'est ce qui fait dire aux mères que leurs filles sont plus compliquées que leurs garçons ; mais c'est leur corps qui est plus compliqué et qui pose plus de problèmes, tout au long de leur vie.

C'est folie que de vouloir calquer l'activité des femmes sur leur vie sexuelle et génitale : cela ne peut aboutir qu'à une discontinuité nocive à toute réalisation véritable. Si la réalisation de la femme fait problème, c'est parce qu'on a tenté d'assimiler sa production à la reproduction et que, de ce fait, la femme s'est vue réduite à quelques années actives de reproduction, contre beaucoup d'années d'ennui. Son corps trop riche de promesses a servi de handicap à son esprit : l'homme lui a ravi la sublimation et lui a affecté l'enfant. On s'est servi somme toute de son corps pour nier son esprit. C'est cela qui rend les femmes très en colère en ce moment, et c'est pour cela qu'elles y regardent à deux fois avant de s'engager dans la reproduction.

Continuité, discontinuité, voilà où s'écartèle la femme moderne qui a compris que l'homme, tout en chantant les délices de son corps, en a usé comme argument pour écarter son esprit...

Elle allait leur donner tant d'amour que leur vie entière, tissée de soins et de bons offices, perdrait son sens hors de sa présence.

L'Arrache-cœur, BORIS VIAN

8.

LA TOILE D'ARAIGNÉE

Comment décrire celui qu'on n'est pas, comment parler de ce qu'on ne vit pas ? On peut tout juste dire ce qu'on voit de la vie du petit garçon, rapporter ce qui nous en est dit par l'homme quand il laisse tomber le masque.

Ce que j'ai vu ? J'ai vu d'abord, dans mon entourage proche, Thierry qui, de deux à douze ans, protégea de sa main mise en forme de coquille son précieux « objet ». Contre qui ? Contre quoi ? Le savait-il seulement ? Il était devenu l'objet de la plaisanterie familiale : « Tu as donc si peur qu'il ne s'envole ? », « Tu te figures qu'il ne tient pas bien ? » Et la question-piège posée un jour par un oncle qui avait un pied dans la psychologie : « Enfin, à qui est-il ce truc que tu aies tellement peur qu'on ne te le prenne, n'est-il pas à toi ? » et Thierry de répondre à la stupeur générale, y compris celle de sa mère : « Il est à maman. » En général, gêné d'être surpris dans sa peur inconsciente et apparemment ridicule, soit il enlevait sa main pour quelques instants, soit il s'éloignait de l'adulte inquisiteur. J'ai dans mon album de photos plusieurs groupes d'enfants où Thierry figure dans la position de la Vénus de Botticelli. Car, contrairement à ce que croyait Botticelli, ce n'est pas la femme qui, en cas de nudité, a tendance à cacher son sexe, mais bien plutôt l'homme. Comment se fait-il que dans la statuaire grecque et latine ce geste soit si souvent attribué à la femme ? Ne cacherait-elle pas plus volontiers ses seins, objet de convoitise de la part de l'homme ?

Il semble que, naturellement, chacun ait tendance à mettre à l'abri du regard ce dont l'autre sexe a le plus envie, et pour un petit garçon, c'est son sexe de garçon qui peut être convoité par la mère.

Je possède également un film où, de tous les cousins immortalisés ce jour-là sur la pellicule, seul Hervé reste coincé au sortir de la maison s'embrouillant la main dans sa braguette ; geste qui lui était favori (cherchait-il à se rassurer en vérifiant que son objet était bien là et que sa mère ne le lui avait pas encore ravi ?).

Thierry et Hervé, quand ils seront grands, se souviendront-ils seulement de leur geste inconscient et habituel de petits garçons ? Je vous mets mon billet qu'ils l'auront oublié mais que la peur de la femme se sera transformée en quelque chose d'agressif dans leur comportement vis-à-vis des femmes et qu'on les dira « virils ». Ils auront oublié avoir passé leur enfance à se protéger sauvagement du désir de leur mère et, devenus hommes, ils trouveront normal de se voir attribuer l'eau de toilette « Sauvage », la laine « vierge », le slip « Homme », la voiture « sans concessions », etc.

Vous connaissez certainement beaucoup de Hervé et de Thierry grands ou petits. Regardez-les bien, ils passent insensiblement de l'autoprotection à l'autodéfense : cela se fait tout seul, tout naturellement sans heurts, sans à-coups, de la crainte de la Mère, ils aboutissent à la domination exercée sur la femme.

Pourtant quand ils étaient petits, ELLE paraissait avoir gagné. Combien de fois les ai-je vus dans mon bureau ces regards piégés dans celui de la Mère, ces bouches muettes pendant qu'ELLE exposait tout ce que faisait et disait l'enfant ou plutôt tout ce qu'il ne faisait pas ou ne disait pas. Sitôt la mère sortie, l'enfant de se rasseoir, de prendre sa place, de répondre à mes questions. Et celle-ci apparemment si anodine : « alors qu'est-ce qui ne va pas pour toi ? » n'a-t-elle pas le pouvoir de lui mettre les larmes aux yeux quand il répond « c'est avec elle... », ou la rage au cœur quand il avoue « c'est à cause d'elle... ». Pas besoin de description, pas besoin d'explication, je sais, j'ai compris, je connais le tableau de l'Œdipe (c'est la moindre des choses pour une psychanalyste), mais les mères, elles, ne le connaissent pas, ne le comprennent pas : qui leur a parlé du risque de leur présence continuelle auprès de l'enfant ? Personne apparemment puisqu'elles ne font rien pour passer la main.

Comme le dit Freud « les mères seraient bien étonnées » si on leur disait que leur regard de mère contient en même temps que l'amour, le désir du sexe opposé, donc le désir de leur fils, et que cela ne peut être assumé par l'enfant mâle sans crainte de sa part. Crainte dont nous avons vu [1] qu'elle n'apparaît pas d'emblée, puisque la symbiose première paraît favorable au petit garçon et même narcissisante, crainte qui ne se manifeste qu'à l'âge anal où l'enfant doit assumer à la fois l'apprentissage de la propreté et la constatation de la différence entre les sexes.

La différence des sexes, c'est la mère (celle qui vit la plus proche de l'enfant), qui en est le support aussi bien pour la fille qui la constate supérieure, que pour le garçon qui la voit avec un « en moins » au niveau du sexe. Si, chez la fille, la constatation de la supériorité de sa mère déclenche l'ENVIE, chez le garçon la vision de l'infériorité de sa mère déclenche la PEUR, car, comme le dit Freud, tout enfant croit le reste de l'humanité fait à son image, et si la mère ne l'a pas c'est qu'elle ne l'a plus, qu'elle l'a perdu, etc. Cet « en moins » du corps de la mère est envisagé immédiatement comme perte, comme disparition éventuelle, comme castration possible. Le voilà donc le grand mal qui menace toute la vie future de l'homme : il a peur de la Castration... Il a peur que tous les êtres qui « n'en ont pas » (donc les femmes, dont sa mère) s'en prennent à lui « qui l'a ».

Donc la mère est dangereuse au double titre de ne pas en avoir et de désirer inconsciemment celui de l'homme même s'il est son fils et le petit garçon ressent cela comme MENACE : crainte de la castration (*dixit* Freud). Toute la théorie freudienne est là : la crainte de castration habitera l'homme et l'obligera à se défendre d'abord de la « femme » et puis des femmes... Fantasme d'homme qui attribue à la femme « l'envie de pénis », alors que cette envie est le fruit de l'imagination de l'homme

1. Au risque de sembler rabâcher, je reprends ici un certain nombre de remarques déjà exposées plus haut. Non pas par défiance envers le lecteur, mais pour regrouper ces remarques en vue de faire apparaître plus clairement la construction de la psychologie masculine.

poursuivi par l'idée qu'ELLE va LE lui prendre, qu'elle risque de le castrer.

Si la psychanalyse avait été écrite par une femme, sans doute n'y aurait-on jamais parlé de CASTRATION : la castration c'est une idée de petit garçon, l'ENVIE c'est une idée de petite fille.

Vous constaterez que rendus à l'âge adulte, effectivement la femme essaie d'avoir le plus de sexe possible et l'homme essaie de préserver le sien en se faisant respecter le plus possible comme mâle. L'envie est du côté féminin, les femmes ont des tas d'envies, de rêves, elles attendent toujours quelque chose d'autre, semble-t-il. La défense est du côté masculin : l'homme entasse les pouvoirs qui consolideront sa suprématie. Finalement l'envie de prendre, d'avoir, de la femme (envie très généralisée et qui ne vise pas seulement, et peut-être fort peu, le sexe de l'homme : les petites filles ne rêvent-elles pas toutes d'être des reines ? C'est-à-dire celles qui *ont* tout ?) déclenche chez l'homme la crainte d'être possédé, volé, piégé comme il le dit si couramment.

Comme « ils » le disent si couramment, sur le divan :

« Ma mère, elle me colle à la peau, impossible de s'en *défaire,* je la sens toujours après moi, il faudrait gueuler, casser, faire quelque chose. »

« Elle est là, toujours là, et comment s'en *défaire,* même si je fous le camp à 800 km, je sais qu'elle saura toujours tout sur moi... »

« Qu'il est difficile de se *défaire* de sa mère ! »

« Arriverai-je à casser cette chose qui *me tient,* m'emprisonne, me relie à elle continuellement. »

« Toujours faire ce geste avec mes mains : le geste *d'écarter* quelque chose qui me gêne comme "elle", qui était toujours là. »

« Couper le cordon ombilical, c'est ça ; couper, me séparer d'elle, ne plus être *pris* dedans, etc. »

« Coucher avec une femme, pour me dire que ça y est, je suis un homme, *j'ai gagné* sur "elle", pour moi c'est la seule preuve qui compte. »

L'homme que nous côtoyons n'est-il pas plus ou moins toujours habité par l'idée de se séparer, de se défaire, de s'éloigner de la femme ? Ne cherche-t-il pas par tous les moyens à se différencier d'elle par des rôles différents, une nature différente ? Quitte à parer la femme de certaines qualités que l'homme nous attribue, et auxquelles il renonce délibérément : intuition, douceur, tendresse, etc.

Lui, il s'entoure de défenses : il ne doit être ni doux, ni tendre, ni sensible ; c'est là que s'établit la différence, pour ne pas tomber dans la similitude, ne pas tomber dans le féminin, éviter la castration... L'homme joue son rôle d'homme de peur d'être assimilé à une femme, pendant que la femme joue son rôle de femme de peur d'être assimilée à « rien ». Et chacun se trouve enfermé dans une stéréotypie effrayante de peur de sortir des voies de son sexe toujours insuffisamment établi semble-t-il.

La fermeture du garçon, la féminisation de la fille, s'effectuent dans le seul rapport au sexe de la mère-éducatrice. Une femme m'a dit ce matin : « Une femme se pose par rapport à une autre femme. » Oui, les deux sexes « se posent » par rapport à la femme et rarement ou trop tardivement par rapport à l'homme, absent de l'éducation ou presque, aussi bien sur le plan familial que sur le plan social.

Mais reprenons l'histoire du jeune garçon : nous avons vu que son premier rapport à l'angoisse se situe lorsque sa mère lui demande ses selles, il s'imagine qu'elle veut « autre chose ». En effet, s'il n'a pas constaté *de visu* que sa mère n'a pas de pénis, il a demandé (comme la petite fille pour les seins) si sa mère est pareille à lui (ce qui est sa première idée), et sa mère a répondu qu'elle « n'en avait pas ». Il a déjà pris peur et imaginé tout un scénario où on pourrait à lui aussi *le* lui prendre, et voilà que sa mère vient lui demander de donner quelque chose de lui : elle tombe vraiment mal ! Demander quelque chose à quelqu'un qui a peur de perdre un morceau de lui-même, vous avouerez que ça n'est pas l'idéal ; mais comment faire autrement ? Il faut bien que cet enfant devienne propre.

Lui, en tout cas, le voit différemment, et il va engager la lutte anale, il va tout faire pour éviter de donner quoi que ce soit (voir p. 82), il va ruser avec elle, faisant semblant de ne pas avoir besoin quand on le met sur le pot, pour tout lâcher l'instant d'après dans ses couches. Il va le faire avant l'heure fatidique. Il deviendra encoprétique, tant pis, il s'en fiche : avant tout, sauver sa peau du désir maternel, se défaire d'elle et de sa demande, de sorte que le dressage à la propreté du garçon traîne en longueur. Il ne pourra obtempérer que le jour où il aura trouvé le moyen de gagner ailleurs sur elle, en devenant agressif, capricieux, difficile (si le bébé-garçon est plus facile que la fille, l'enfant mâle est plus difficile que l'enfant-fille) : il manifeste sans arrêt son opposition.

C'est l'institution de la « petite guerre ». D'ailleurs, dans ses jeux mêmes, le garçon ne joue-t-il pas sans arrêt à la guerre ? S'il n'a pas de soldats ni de chevaux, il trouve toujours le moyen d'instituer un rapport de forces quelque part : tout se traduit pour lui en « plus fort » et en « plus faible ». Il se voit en Zorro vainqueur, en Tarzan conquérant, il se rêve aviateur qui fend l'espace plus vite que quiconque. Les fantasmes du garçon tournent toujours autour de la victoire. Ainsi peu à peu l'homme devient agressif-défensif de sa personne, son langage lui-même en porte la marque, il parle dur, vert, grossier, voire ordurier, et parfois cela lui restera comme mythe masculin : l'homme croit de bon ton de parler « cru »...

Mais il se peut que pour différentes raisons le petit garçon ne puisse pas prendre la voie classique du devenir « homme » et qu'il bifurque vers un autre chemin, renonçant à la lutte parce que « l'ennemie » est trop forte. Il prend le chemin de la régression : devant l'effort demandé il renonce, il meurt : il devient apathique, ou énurétique ou encoprétique, il ne s'intéresse à rien par peur de retomber dans le désir supposé de la mère ou des parents. En un mot, il préfère ne pas grandir plutôt que de devoir affronter la guerre, et risquer la castration ; il préfère rester un enfant, si l'état adulte demande de passer par le désir d'une femme.

Une femme, ce ne serait rien encore, mais c'est de femmes qu'il s'agit, car le petit garçon est entouré de femmes ! Il n'y a presque que cela dans son univers, et, s'il quitte l'univers de sa mère, c'est pour entrer à la maternelle où il devra affronter la jardinière d'enfants, et puis à l'école où il trouvera la maîtresse... Il n'y a que des femmes autour de lui, et son père lui paraît bien loin quand la maîtresse est derrière lui. C'est une catastrophe pour le petit garçon que l'enseignement du jeune enfant soit aux mains presque exclusivement des femmes. Car le garçon n'a aucun moyen de quitter sa crainte de castration, parmi tous ces individus qui n'en ont pas. Je me souviendrai pour le restant de ma vie du visage désespéré de mon fils, lorsque je soulevai le chapeau mis intentionnellement sur sa figure en signe de honte par la maîtresse. Je découvris là l'immense abîme de se sentir humilié par celle « qui n'en avait pas », il me regarda d'abord pour voir si je comprendrais et de quel côté je me tiendrais. Puis voyant que je saisissais ce qui se passait pour lui, il éclata en sanglots, pour passer rapidement à la vocifération : Jérôme avait alors quatre ans. Il avait un inconscient en pleine effervescence, la maîtresse avait trente ans et ignorait tout de l'inconscient d'un petit garçon, elle pensait avoir pris un moyen des plus anodins pour le punir de sa désobéissance. J'ai su à ce moment précis que si la punition avait été appliquée par une main d'homme, il n'aurait pas eu à s'en défendre.

Rien n'est plus dur que de se voir appliquer la loi par quelqu'un qui ne se tient pas du même côté et s'il y a mixité des effectifs, il devrait toujours y avoir mixité des enseignants, afin que garçons et filles se trouvent à égalité devant le pouvoir. Cela est franchement négligé ou ignoré dans un pays comme le nôtre où, faute de trouver une place sociale à la femme, on lui attribue continuellement le soin de l'enfant ainsi que son éducation.

Plus le garçon grandira, plus sa défense « anti-femme » va s'organiser si bien qu'arrivé à l'adolescence il est curieusement ambivalent vis-à-vis de la fille, qu'il a fort envie de rencontrer tout en voulant l'écarter. Donc, le plus souvent, il sortira avec elle quelque temps afin d'assouvir sa curiosité de l'autre sexe, et puis déclarera très rapidement qu'il l'a laissée tomber parce qu'elle était « con ». O magnifique injure, qui correspond exactement à ce que le garçon veut exprimer ici : c'est parce qu'elle est de sexe féminin qu'elle vient d'être rejetée... Et non parce qu'elle est bête...

A cet âge de l'adolescence, le garçon n'a plus peur apparemment des femmes, il les domine de tout son dédain général pour la gent féminine, il rêve de les soumettre, et puis un peu plus tard de les « baiser ». Comment se pourrait-il que l'acte sexuel ne contînt pas des fantasmes de domination de la part de l'homme? Et comment la femme pourrait-elle y trouver son compte, puisqu'elle y perdra tout droit à en décider, et à le mener. Ce sera toujours l'homme qui voudra répondre de la jouissance féminine ; grâce à quoi nous devons trouver jouissance de la manière où lui trouve plaisir : il n'y a qu'une seule grille pour la jouissance sexuelle, celle que l'homme invente, et les prétentions récentes des nouvelles femmes font peur à l'homme qui craint de perdre sa suprématie : c'est pour cela que l'homme est si dur d'oreille quand il s'agit des chemins de la jouissance féminine.

C'est à cause de son besoin de domination sur la femme que l'homme en veut tellement à la loi sur l'avortement qui a rendu la femme libre d'elle-même et de son désir d'enfant. Lui qui a le ventre vide à tout jamais, il refuse qu'une autre considère cela comme de peu de prix... Il refuse qu'elle ait une problématique à elle, cette femme qu'il veut absolument régir. Lui qui ne peut pas porter la trace de l'amour en son corps, il refuse à la femme d'avoir ce désir-là si ce n'est pas pour le transformer en désir d'avoir un enfant : dans l'enfant, au moins, il pourrait voir sa trace... Tandis que si elle peut avorter, il lui semble qu'elle a voulu cela pour elle toute seule, et qu'ainsi elle lui a échappé dans sa jouissance... Cela, il ne le supporte pas, c'est ce qui fait qu'il donne son accord à la contraception, mais pas à l'avortement... Il formule des objections morales ou médicales, mais, dans le fond, ce qui l'embête c'est que la femme ne voie pas les choses comme lui, et qu'elle prenne la liberté de les vivre *autrement*.

Somme toute, cet homme qui nous dérange sans arrêt sur notre route, c'est bien nous, les femmes, qui l'avons forgé tel qu'il est aujourd'hui. Notre cage de femme, c'est bien nous qui l'avons érigée, sans le savoir, sans le vouloir, sans y rien pouvoir.

La toile d'araignée que nous avons tissée autour du jeune garçon, c'est celle même qui nous enfermera plus tard : nous n'aurons jamais le droit de sortir de la surface prévue pour nous.

L'« araigne » ce sera lui et nous serons sa proie à vie pour avoir voulu régner sur ses jeunes années et régenter son existence de jeune mâle. Aucune femme ne devrait ignorer les pièges de l'inconscient maternel, aucune femme ne devrait accepter d'élever seule son fils, aucune mère ne devrait rester neutre devant la féminisation de l'enseignement du tout-petit. Mais ce que vous venez de découvrir ici, le saviez-vous ? Qui aurait voulu vous le dire ? La psychanalyse n'était-elle pas, n'est-elle pas en grande partie aux mains des hommes ? Peut-être y a-t-il là encore le plaisir masculin de la domination par le savoir ?

Il faut des femmes, à côté des hommes, pour que science ne s'allie plus à méconnaissance, et il faut des hommes au côté des femmes pour que éducation ne rime plus avec prison...

Oui. J'ai hâte d'être ta femme, de rester seule avec toi, de n'entendre d'autre voix que la tienne.

Noces de sang, FEDERICO GARCIA LORCA

9.

L'IMPOSSIBLE RENCONTRE

Par-dessus la grande peur « anale » de l'homme et par-dessus la grande demande « orale » de la femme vient se greffer le rêve de l'Amour. D'un même pas, ils vont à la recherche de la Symbiose perdue. Du même élan, ils vont vers la Rencontre « dangereuse », rappel de celle qui fut autrefois avec Jocaste.

Aimer, c'est chercher consciemment ce qui nous a manqué, et retrouver le plus souvent inconsciemment ce que nous avons déjà connu.

Un homme sort d'une guerre sans merci avec une autre femme sa mère, une femme émerge du désert blanc de son enfance, ils se rencontrent, se regardent, se parlent, se touchent, et s'éprouvent comme se connaissant déjà, comme venant du même endroit (c'est juste, le premier paysage n'est-il pas pour les deux, le visage de la Mère ?) et ayant suivi les mêmes chemins (c'est faux, nous avons vu comme leurs deux itinéraires différaient). La symbiose est déjà là et dépasse les mots.

On n'ose presque pas parler, de peur qu'elle ne s'envole, chacun est encore durement marqué de son échec avec Jocaste : le garçon n'a pas pu accéder au corps de celle qu'il aimait, la fille n'a pas pu être désirée de celle qu'elle affectionnait. Et ce qui a manqué à l'un et à l'autre sexe, paraît pouvoir ici être réparé au sein du « Je t'aime » réunifiant le corps et l'esprit.

Le moment de la rencontre est un moment unique où conscient et inconscient s'interpénètrent ; le souhait devient réalité, le rêve descend sur terre et apparaît sous forme d'un visage distingué entre tous, comme l'« objet » attendu secrètement par l'un et l'autre.

Depuis le stade du Miroir où nous avons émergé de la symbiose avec la mère et découvert la solitude, chacun de nous attendait cet autre moment qui annulerait la dualité alors découverte et rétablirait l'unité première. L'amour, c'est la tentative de repasser le Miroir dans l'autre sens, c'est annuler la différence, c'est renoncer à l'individu au nom de la symbiose (n'est-ce pas le même fantasme qui nous poussera à franchir également la barrière des corps et nous poussera à l'union sexuelle, vue comme perte de conscience de soi, et redécouverte de « l'un » réparti en deux corps, sans limites ?).

L'amour, c'est le désir poussé à l'extrême d'une seule identité pour deux, c'est le passage en force du fantasme primitif de l'unicité avec la Mère. Disparité, différence, dissymétrie, se transforment au moment de l'amour en : assortiment, similitude, symétrie parfaite de deux désirs.

« L'amour est aveugle », dit-on ; c'est profondément vrai, car le *principe de plaisir* toujours présent dans notre vie nous pousse à retrouver la fusion idéale à la mère, fusion que nous avons laissée derrière nous, et que nous ne cessons de vouloir retrouver à travers l'objet aimé. Cela nous mènera à confondre rêve et réalité, au point de confondre un visage avec un autre, d'assimiler un sourire à un autre ; à force de vouloir voir l'« objet idéal » nous n'y voyons plus clair du tout... Nous sommes livrés aux mirages de notre inconscient. Ainsi les défauts de l'être aimé seront gommés au bénéfice de ses qualités, et si défauts il y a, ils seront assimilés à des ressemblances entre les partenaires amoureux.

En amour tout le monde rêve. Mais y a-t-il mieux à faire contre l'irréparable solitude découverte au stade du Miroir ? Contre les meurtrissures laissées en chacun de nous par l'inconscient maternel y a-t-il un autre remède ?

Le couple, c'est le fantasme des retrouvailles avec une mère encore jamais rencontrée : non étouffante pour l'homme et désirante pour la femme, c'est le rêve dont nous parle si bien Verlaine :

Je fais souvent ce rêve étrange et pénétrant
D'une femme inconnue, et que j'aime et qui m'aime
Et qui n'est chaque fois ni tout à fait la même
Ni tout à fait une autre, et m'aime et me comprend.

Cette femme (ou cet homme) étant découvert, tout devrait donc se passer pour le mieux, mais c'est compter sans le deuxième principe inconscient qui joue dans l'amour et qui est celui de *répétition*. Il va nous pousser à répéter des situations, à revivre des affects bien connus de nous : cette femme n'est pas « tout à fait la même » ni « tout à fait une autre », c'est dire qu'elle n'est pas la Mère connue de nous mais qu'elle a à voir avec elle.

Si les fantasmes dus au principe de plaisir nous ont facilité la rencontre avec l'objet, le principe de répétition va tendre à rapprocher cet amour-ci du premier choix d'amour qui fut la mère et ce ne sera pas toujours une réussite. Car nous ne repasserons plus jamais le Miroir sans traîner avec nous toute notre histoire œdipienne ou pré-œdipienne à la Mère, et si, au départ de l'amour, tout ce qu'il y a eu de nocif pour chacun disparaît sous l'effet du principe de plaisir, ce n'est que pour mieux reparaître sous les traits de l'élu qui devient, sous l'effet du principe de répétition, lieu de réminiscences infantiles, ayant plus ou moins à voir avec le réel (phénomène de projection) mais beaucoup avec le fantasme originel.

Ce qui va créer des difficultés dans la vie à deux, c'est la persistance involontaire de comportements autrefois destinés à « une autre » et qui, par voie du transfert amoureux, viennent ici prendre place au sein de la relation amoureuse. Que l'amour adulte soit second par rapport à la relation d'objet qui nous a unis à notre mère, tel est le handicap à vivre loyalement ou déloyalement dans le couple. Car comment retrouver la « mère » (nous avons vu que l'homme passe de la mère à la femme, et que la fille passe de la mère à l'homme, pris comme objet de remplacement sexuel) sans que se profile immédiatement l'ombre de Jocaste ? Le piège emprisonnant qu'elle a représenté pour son fils, l'étrange insatiabilité qu'elle a déclenchée chez sa fille ?

La crainte d'être à nouveau enfermé (pour l'homme) et la peur de ne pas être suffisamment aimée-désirée (pour la femme) seront les deux constantes présentes dans l'amour, signalant l'immortalité de la marque engendrée par Jocaste au berceau.

Si les charmes de l'amour lui sont dus (par désir de retrouver la symbiose première), les impasses de la vie à deux dépendront également d'elle... Si l'homme, cherchant à conserver sa liberté, s'éloigne un peu, la femme en meurt secrètement ; si la femme, cherchant à éprouver si elle est aimée, demande des preuves, l'homme se sentira pris de nouveau au piège.

Telle est la dialectique de l'amour, la force étant du côté de ceux qui, reconnaissant les fantasmes de l'autre, ne les prennent pas pour réalité, et ont la possibilité de jouer le jeu, sans tomber dans le panneau ! Par exemple, l'homme demande une femme douce (pour être assuré de sa domination toujours remise en question) : elle peut se « montrer » douce, mais elle n'est pas forcément masochiste... La femme demande un homme « tout occupé d'elle » : il le lui accordera sans devenir forcément son esclave. L'amour, c'est tout l'art du compromis entre le fantasme et la réalité de chacun des membres du couple.

Si l'amour débute par la symbiose, sa pérennité demande que cette première étape soit traversée, reconnue comme « rêve » et qu'homme et femme comprennent que la symbiose est aussi dangereuse que celle vécue avec la mère et ne peut déboucher que sur le masochisme, donc la mort virtuelle de l'un ou l'autre, ou des deux.

Il ne peut y avoir que de brefs retours régressifs, le reste c'est la reconnaissance parfois douloureuse de la différence à assumer, de la distance à maintenir.

On commence à vivre ensemble pour éprouver une symbiose, on reste ensemble pour s'enrichir d'une différence, mais la solitude n'aura été vaincue que transitoirement, qu'exceptionnellement : impossible de retourner dans le ventre de la mère.

Vivre ce renoncement, assumer ce regret, conserver cette nostalgie, mène à la poésie, la musique, la peinture, tout ce qui peut encore se saisir d'un bout de fantasme et le fixer éternellement sous la forme : « J'aurais voulu que le monde fût autre et je l'exprime tout en ignorant que ce faisant, je marque l'écart entre ce que je vis et ce que je prétendais vivre... Je préfère à ce monde que je vois, celui que je porte en moi, au plus secret de ma personne. » Tel est le fantasme de l'artiste, il refuse le peu qu'il trouve pour vivre avec le tout qu'il imagine ; l'amoureux, de la même façon, retransforme le monde, repense

« l'autre » à sa façon, selon son besoin. Il ne voit pas l'autre comme il est, mais comme *il a besoin* qu'il soit, pour réparer la faille première à la mère.

L'homme dans le couple

Il vient d'une idylle impossible avec une femme, sa mère ; tout ce qu'il recherche c'est une idylle, possible cette fois, avec une autre femme « permise ».

Mais il n'a pas oublié pour autant son drame avec la première : ne lui disait-il pas au début en toute candeur : « Quand je serai grand, je me marierai avec toi ? » Et n'a-t-il pas dû renoncer en faveur d'un concurrent, le père ? Car « elle » était mariée avec lui, même si parfois elle paraissait préférer le fils. Le père a été le rival indépassable, et l'homme craindra à tout jamais de se voir déposséder de sa femme par un autre. La pire des injures entre eux n'est-elle pas de se traiter de « cocu » ? L'homme est facilement jaloux, mais sa jalousie n'est pas comme chez la femme le désespoir de se voir abandonné, mais bien plutôt la rage de se voir supplanté par un autre. Premier effet de la répétition, au sein du couple, l'homme tâchera d'écarter tout rival (voir les rites dans certains pays africains et arabes, qui ont tous pour but de prouver la virginité, donc l'appartenance à un seul homme). Les hommes, à cause de leur crainte ancestrale d'être dépossédés de la mère, chercheront à imprimer dans leur relation à la femme la marque de leur possession, que ce soit par des signes imposés sur le corps de la femme, que ce soit par les us et coutumes tournant autour de sa fidélité : par exemple dans nos pays latins, la loi punit beaucoup plus sévèrement la femme « infidèle » que l'homme « trompeur ».

La deuxième répétition, non moins néfaste pour le couple, aura trait à l'affectivité de l'homme : ayant été tenu de taire ses sentiments tendres pour sa mère, à l'occasion du dénouement (même relatif) de l'Œdipe, il semble avoir perdu toute possibilité d'exprimer des sentiments amoureux. Son langage est extrêmement réduit et pauvre en affects, car il a pris l'habitude de les refouler, et bien des femmes se plaignent que l'acte, en amour, remplace trop souvent la parole, ce qui a pour la femme l'effet désolant de la ramener à la position d'objet désirable, plutôt que de la faire passer à la situation de sujet désiré.

L'homme se tait trop souvent, avec sa compagne qui s'en désespère, elle qui a tant besoin du « Je t'aime » réparateur de son unité mise à mal dans son enfance. L'homme paraît peu apte à réparer le manque narcissique de la femme, non plus qu'à lui donner les paroles d'amour et de désir dont elle a tant manqué dans son jeune âge. Dans le cas le plus habituel, l'homme à la suite de son Œdipe traumatique de petit garçon, a dû laisser derrière la porte : sentiments tendres, émotions et pleurs, tous signes de faiblesse attribués aux femmes, et, du coup, il ampute l'amour de toute une dimension, celle du langage : rares sont les amoureux bavards.

La façon la plus courante de manifester ses sentiments sera le plus souvent pour l'homme de « posséder » la femme (dit-on jamais d'une femme qu'elle possède un homme ? Non, on dit d'elle qu'elle s'abandonne, se livre, se donne...) et cela sera l'effet de la troisième répétition masculine : dominer, pour ne pas être dominé : en amour, l'homme se veut dominateur, en ménage il se veut le maître, partout il veille à ce qu'« elle » n'empiète pas sur sa liberté à lui (tant pis si elle doit y laisser la sienne à elle...).

Cela va du bel objet, en passant par l'ordinateur ménager, voire l'ustensile indispensable à la préparation des repas, tout peut être utilisé pour maintenir la femme dans les lieux d'où l'homme est absent. Car ce que craint le plus l'homme, en fin de compte, c'est de se retrouver au même lieu qu'elle (comme du temps de la symbiose avec la mère) et il fera tout pour éviter la rencontre avec celle avec laquelle il a choisi de vivre. La femme se trouve ainsi ramenée alors du fait de l'homme aimé à l'usage trop habituel pour elle des preuves à donner de sa féminité, de sa valeur ménagère, etc.

La féminité c'est donc la prison où l'homme prétend « enclore » la femme pour ne plus jamais risquer de la retrouver sur la même route que lui : l'homme a une peur psychotique de celle qu'il croit aimer. Pour mieux vaincre sa peur et pour mieux assurer sa domination, il installera son désir partout, et occupera à lui seul tout l'espace de la demande, allant du « qu'est-ce qu'on mange ce soir ? » au « où as-tu mis mon pull-over ? » (même si par chance c'est lui qui l'a rangé). De toute façon, elle ne pourra que répondre.

Au lit, même attitude, il prendra toutes initiatives (bonnes ou mauvaises), elle n'aura qu'à répondre, il ne lui demandera guère la couleur de son désir à elle. Il suffit de voir le refus des hommes à lire tout article portant sur les voies de la sexualité féminine : ils préfèrent en décider eux-mêmes. Nous verrons tout à l'heure en étudiant le rapport sexuel que si elle prend la liberté de dire son désir, les chances de réussite de son partenaire peuvent s'en trouver diminuées d'autant. Rien ne menace plus l'homme que le désir exprimé de la femme, qui ne cesse de lui apparaître comme piège maléfique (en rapport avec le désir de la mère toute-puissante).

Dans l'ensemble, l'homme le mieux disposé envers la femme aimée, sera pour le moins ambivalent avec elle. De plus, pour être sûr de ne pas retomber dans la dépendance, l'homme s'inventera un tas de libertés à prendre hors du foyer, loin de sa femme : il a besoin d'une marge de sécurité, il a besoin de fuir la symbiose, tant recherchée au contraire par la femme. L'homme a un besoin de liberté dans le couple qui surprend douloureusement sa compagne qui, elle, ne se prenait pas pour son ennemie et rêvait d'unité.

Que de souffrances, déjà, du seul fait de la répétition venant de l'homme, qu'en est-il chez la femme ? Et que veut-elle rejouer inlassablement elle-même ?

La femme dans le couple

Elle sort d'une relation blanche à la mère et elle souhaite un amour des plus colorés... Elle vient d'une situation en parallèle, et veut maintenant la convergence, après le désert, il lui faut l'oasis. Elle a quitté il y a bien longtemps la mère non désirante, elle a marché dans la solitude et le faire-semblant, elle attend maintenant de cet « autre » une parole réunifiante.

L'homme aimé est celui qui, estimant et désirant en même temps la femme, peut rétablir en elle l'unité intérieure fortement perturbée dans son enfance où l'amour de la mère n'a pu engendrer en elle que la division entre « objet aimé » (ce qu'elle a été) et « sujet désiré » (ce qu'elle n'a pas pu être).

La femme recherche dans l'amour l'unité de sa personne inconnue d'elle jusqu'alors, puisqu'elle a été tour à tour estimée dans son enfance et désirée à partir de son adolescence. Elle cherche au travers de l'amour à réunir « sujet estimable » et « objet désirable » afin de se sentir enfin une *personne*. La femme va saisir l'occasion qui lui est offerte par l'homme d'être enfin « objet satisfaisant » pour quelqu'un.

On peut remarquer ici comme le garçon, naissant dans l'Œdipe, a connu cette situation d'emblée, et cherche à en sortir, alors que la fille en est toujours à tâcher d'y entrer et puis de s'y maintenir. Ce sera le drame de sa vie que d'y arriver plus ou moins car elle va, elle aussi, trouver sur sa route le principe de répétition qui va la faire passer bien souvent à côté de sa chance, car la parole réunifiante de l'homme, le fameux « Je t'aime », ne lui suffira pas toujours.

L'insatisfaction du départ va se manifester au sein même de la relation amoureuse, et la femme aura bien du mal à se croire « bon objet » même si son partenaire le lui dit ; elle a tendance à retourner à la comparaison avec les autres femmes, ses rivales d'aujourd'hui, et à vouloir se mesurer avec elles, ce qui l'entraînera à bien des esclavages et des obligations dont l'évidence n'appartient qu'à elle (souci de perfection étendu à tous les domaines de la vie courante).

Le facteur de répétition la pousse à répéter toujours sa question « m'aimes-tu totalement ? », mais, quelle que soit la réponse de l'amant, elle ne peut jamais être intégrée définitivement car le temps où ces mots auraient pu la structurer est révolu : il y a *forclusion,* et la femme malgré son désir de naître d'une parole désirante ne peut y arriver que temporairement, au grand étonnement de l'homme. Celui-ci, hélas, n'en a pas fini, avec l'insatiabilité de sa femme qui lui pose éternellement la même question jusqu'au sein des amusements sexuels, alors que nous avons vu comme il les aimerait dénués d'affectivité, puisque pour lui affectivité et angoisse se marient souvent.

Ce qui est vu comme rassurant pour « elle » est donc perçu comme angoissant pour « lui ». Joli résultat du phénomène de répétition chez les deux membres du couple. Qu'y pouvons-nous ? Sinon souhaiter que la chose à répéter, pour l'un et pour l'autre, ne soit pas aussi radicalement en opposition.

Car cette femme, à partir de sa demande, va être classée par l'homme comme dévorante ; ce qu'il craignait le plus de retrouver sur sa route d'homme est là, dans son lit, d'où tendance de l'homme à ne plus répondre au bout d'un certain temps. Fuite dans le silence pour lui, soliloque désespéré pour elle, voilà où les mène la faim orale de parole chez la femme.

Mais, de même que l'homme avait toujours besoin de vérifier sa liberté par rapport à l'autre dans le couple, la femme va avoir tendance à explorer, à éprouver, le degré d'amour de son partenaire et, de demandes orales au départ, elle passera à toutes sortes de demandes d'ordre divers, destinées à ce que la symbiose dure, que l'unité soit maintenue. L'homme sentira le piège tant redouté se fermer sur lui, et il tâchera de plus en plus de « lui » échapper, provoquant sa rage, son désespoir à elle. Elle paraît dévorer le vide, et le piège d'amour se referme sur rien, car il est parti, parti pour la journée, à la pêche, à la chasse, en voiture, il ne supportait plus : il a peut-être même filé chez une autre femme de rechange, sa maîtresse, qui, tant qu'elle n'est pas unie socialement à lui, ne lui présente pas de piège.

C'est là que cette femme qui a traversé l'enfance, sans embûche et en courant, semble-t-il, en attendant de toutes ses forces le moment de la vie à deux, ne va pas pouvoir supporter la déception : c'est là qu'elle va présenter les plus graves difficultés affectives de sa vie. Bien souvent, ou elle se rabattra sur ses enfants (pour les dévorer... le mythe a quelque chose de vrai), ou tombera dans la dépression psychique ou physique (troubles psychosomatiques) qui la conduira chez le médecin, ou le psychanalyste, les seuls qui voudront bien moyennant finances (et cela l'irrite fort) assurer le rôle de bonne mère refusé par le mari.

On voit donc le déséquilibre s'accentuer au fur et à mesure que la vie s'écoule et que les illusions s'effritent, chacun retourne à ce qu'il est et laisse tomber le masque de l'amour. Il y a toujours dans la vie du couple un moment de crise, où chacun se rend compte qu'il ne trouve pas chez l'autre ce qu'il était venu y chercher. Il faut une sacrée énergie pour lutter consciemment contre son inconscient ! Ceux qui y arrivent le mieux sont, bien entendu, ceux qui ont fait une analyse, faisant passer alors le maximum d'inconscient du côté conscient, et les forces se trouvant ainsi inversées.

La disparité de naissance de l'homme et de la femme se traduit à l'âge adulte par une dissemblance de désirs difficile à assumer.

Le rapport sexuel soumis en grande part à l'inconscient

Si une grande partie des demandes et des réponses entre l'homme et la femme se joue dans le quotidien, l'autre théâtre où se jouent leurs passions extrêmes et opposées n'est-il pas la relation sexuelle et ne parle-t-on pas aussi bien des « délices de sa couche » que de « l'enfer du lit conjugal » ?

Là aussi, il semble y avoir plus souvent assortiment de désirs différents plutôt que véritable similitude, là aussi le principe de plaisir vient aplanir les difficultés de tous ordres, contre le principe de répétition qui, lui, ne sert qu'à semer la panique.

Pour l'homme : il est ici question de reproduire, dans l'amour sexuel, sa première relation amoureuse à la mère, mais avec cette fois-ci possibilité de coucher avec elle, puisqu'il n'y a plus l'interdit de l'inceste. (Gravité de l'impuissance pour l'homme qui l'empêche de posséder la deuxième femme, et signifie qu'il n'est pas détaché de la première — la mère interdite. Surprise douloureuse et incompréhensible dans un premier temps.)

Tout se passant bien avec cette femme élue, une fois ce besoin de possession physique apaisé, cette nouvelle liberté éprouvée, l'homme estimera le détachement d'avec sa mère comme consommé et, son compte ainsi réglé avec la Femme, il se sentira libre pour un engagement social auprès des autres hommes, comme il s'était engagé plus jeune au côté du père, après avoir écarté la tendresse pour sa mère. Donc l'homme n'aura pas tendance à prolonger indéfiniment le jeu amoureux, ce qui l'intéresse essentiellement c'est le dénouement considéré comme victoire sur lui-même. Le difficile c'est que, faisant partie de la réussite finale, se situe la jouissance de « l'autre » à entraîner, et c'est là que, pour l'obtenir, l'homme fera le plus de concessions (tout au moins le croit-il...). Il sera donc amené, lui qui ne veut plier devant aucun autre désir que le sien, à tenir compte de celui de sa partenaire (et nous avons vu que, dans sa parole livrée sur le divan, l'homme exprime souvent que la situation idéale et rare serait celle où la femme ne demanderait rien et se laisserait faire « tout ». Oui mais peut-elle réduire son désir à celui de l'autre sans voir sa jouissance se réduire à celle de l'autre ? C'est tout le problème qui est débattu actuellement chez les femmes).

C'est là que l'homme trop névrotique et encore imaginairement attaché au pouvoir de sa mère va voir se profiler l'horrible spectre de l'impuissance, déclenchée par le refus et l'impossibilité physique de correspondre au désir de l'autre. Impuissance, ou éjaculation précoce, ou retardée, tout cela est le signe de la guerre inconsciente mais permanente avec le désir féminin.

Un homme qui ne gagne pas sur sa femme et sur sa jouissance a perdu une deuxième fois le combat contre la Mère et se sent dévalorisé. Comment faire pour s'en sortir ? Et si elle refuse son pouvoir à lui ? Sa façon de faire à lui ? Et si elle l'empêche ainsi de régner ? La frigidité de la femme est plus souvent qu'on ne le croit, un sujet d'angoisse pour le partenaire... Si la femme avait trouvé là subrepticement le moyen de ruiner son autorité de phallocrate ?

A mon avis, la sexualité a des chances de retrouver une place existante dans la mesure où la lutte des femmes peut se dire et déborde le lit. Jusqu'à présent n'avaient-elles pas cet unique moyen de se démarquer de l'homme ? Et n'est-ce pas là que l'homme recevait les coups les plus bas de son existence ? Plutôt qu'au bureau ou à l'Assemblée nationale.

Le problème qui menace l'acte sexuel pour l'homme consiste à devoir tenir compte de la demande féminine, comportement tout à fait inverse à son réflexe habituel ; n'a-t-il pas, pour quitter l'Œdipe maternel, appris à se moquer éperdument de « ses » désirs ? La bataille anale ne s'est-elle pas terminée sur un compromis : « Tu n'auras que cela de moi, le reste ne t'appartiendra jamais », et la peur masculine n'est-elle pas toujours qu'« elle » ne demande plus ? Le lit peut se transformer en lieu d'affrontement du pouvoir, et l'homme n'aura sur « elle » que le pouvoir qu'elle voudra bien lui accorder...

L'acte sexuel réussi est le juste milieu établi entre soi et l'autre, la possibilité pour l'homme d'exister sans avoir à nier l'autre et ses désirs. La puissance virile est intimement liée à la façon dont le petit garçon est sorti du combat anal avec la mère. Que le don ne fasse pas figure de dépossession est la condition minimale de l'amour masculin.

Pour la femme, qu'en est-il ? Pour elle, l'amour physique a un rapport étroit avec la façon dont elle s'est tirée de la relation « orale » insatisfaisante à la mère et sa jouissance à elle sera inéluctablement soumise au fait de trouver dans son partenaire une bonne ou une mauvaise mère. Une bonne mère aurait été pour elle celle qui l'aurait physiquement et moralement reconnue, donc, aussi bizarre que cela paraisse, l'estime globale du partenaire au cours de la journée est souvent déterminante pour la réussite ou l'échec de la nuit.

Toujours cette histoire de place à occuper dans le discours de l'autre, place œdipienne de désir à ne pas quitter, sous peine de retourner au corps asexué de la petite fille : si le côté affectif et caressant de l'amour est négligé, la femme a tendance à retourner à la position pré-œdipienne où son corps ne faisait pas encore partie de son économie libidinale avec l'« autre ». Le corps de la fillette est resté si longtemps hors de la dialectique du désir que l'homme le plus adroit est celui qui, par ses mots ou ses gestes, est capable de faire comprendre à la femme qu'elle est appréciée affectivement (rappel de l'amour de la mère) et désirée physiquement (ce qui a manqué de la part du père).

La parole de l'homme semble avoir le pouvoir de rendre la femme complète et le coït est pour la femme l'occasion de se vivre « entière » dans sa relation à un tiers, car il apparaît que son enfance insuffisamment sexuée l'a menée à une position auto-érotique plus fondamentale que la relation hétéro-érotique à vivre ici : la femme a un effort à faire pour ne pas supposer, ne plus supposer, qu'elle ne peut connaître qu'une jouissance solitaire.

Si le risque de l'homme est de se croire pris au piège de la demande féminine, celui de la femme est, une fois de plus, de ne se croire acceptée qu'en partie, reconnue qu'en partie. Comme du temps de son enfance. Elle n'aurait alors droit qu'à la satisfaction d'antan, c'est-à-dire n'aurait d'orgasme qu'avec elle-même et jamais avec l'autre, ce qui est le cas de presque toutes les femmes frigides.

Je reconnais que dans le système de pouvoir masculin où nous vivons, il est parfois difficile d'imaginer l'homme autrement qu'en mauvaise mère, qui n'accepte de nous qu'une partie. Et il faut parfois à la femme des trésors d'imagination pour penser que son oppresseur de la journée se transforme brusquement le soir en mère généreuse.

Cependant, si elle n'arrive pas à ce fantasme, les entreprises de son homme lui apparaissent comme autant de gestes de viol, semblables à ceux de la journée et, à ce viol, va répondre la fermeture du corps avec vaginisme ou frigidité qui ne sont que l'expression du refus que pénètre en elle une telle mère, rappel de la première, qui fut, souvenons-nous-en aujourd'hui, écrasante de par ses atouts sexuels dont la petite fille se sentait privée. A ces femmes, le sexe de l'homme apparaît comme laid, ridicule, terrorisant, etc. Elles l'écrasent de leur mépris, pour ne pas être écrasées elles-mêmes comme autrefois.

Donc, les risques d'échec sexuel chez la femme ne dépendent pas des mêmes facteurs que chez l'homme, mais sont de toute façon relié avec ce qui a été vécu avec la mère, et qui peut être réparé par l'homme.

La condition de la réussite sexuelle de la femme, c'est que son partenaire soit vu (ou sache se faire voir) comme « bonne mère ».

Conclusions

L'amour serait-il donc impossible ? Non, car en fait, on constate que les couples atteignent l'orgasme (le pourcentage, je vous l'abandonne ; compte tenu du nombre d'enquêtes faites à ce sujet, vous choisirez certainement le taux de réussite qui va dans le sens de votre désir).

Il y a au moment du coït conjonction des principes de plaisir et de répétition, avec priorité au principe de plaisir, qui pousse l'individu à la fantasmatisation qui permet l'orgasme. Le désir d'être ensemble dans le plaisir paraît laisser plus de chances au principe de plaisir qu'à celui de répétition, et les « bons » fantasmes (pas forcément bons, mais favorables à l'individu qui utilise là parfois le bon côté de la répétition...) prennent le pas sur les « mauvais », à moins que l'aspect névrotique de l'individu n'empêche cette bonne fantasmatisation et ne renvoie à la « mauvaise mère » pour l'un comme pour l'autre sexe. Chacun doit arriver à envisager l'autre, non comme barrage à la jouissance (rappel du rapport de jouissance à la mère), mais comme passage au plaisir (sortie de la relation de désir-barré ou de non-désir à la mère). La mère, première initiatrice de la sexualité de l'enfant, a laissé chez l'homme la trace du désir-barré (par l'interdit de l'inceste) et chez la femme la trace du hors-désir (la jouissance sexuelle de la fillette se passant hors le désir de la mère).

Ce qui reste de la relation maternelle est donc à dépasser au moment du rapport sexuel homme-femme et chacun doit envisager l'autre comme favorable à sa jouissance, ce qui n'était pas la position initiale à la Mère : l'Œdipe s'avère bien aussi structurant et définitif que l'avait pensé Freud, mais surtout l'ombre de Jocaste ne cesse de nous accompagner depuis le berceau jusqu'à nos ébats les plus secrets.

Tout acte sexuel manqué est imputable à des relents d'agressivité infantile, venant se profiler sur le partenaire et le faire prendre pour la « mauvaise mère » ou celle qui ne permettra pas la jouissance.

Il faut arriver à refouler suffisamment le négatif de notre histoire, et à fantasmer le positif qui nous est nécessaire pour atteindre la fusion des corps idéale, la symbiose dont nous rêvons tant.

Chaque acte sexuel nous entraîne à repasser le Miroir, et nous permet de mourir un instant à notre solitude, pour retrouver le UN originel. Le UN, négation de l'angoisse, lieu de régression, où nous pouvons enfin nous reposer un peu de notre lourde condition d'être humain affronté à la difficulté de porter seul le fardeau de l'incommunicabilité de son inconscient. Malheur à celui qui ne peut pas régresser sans danger jusqu'à sa mère, malheur à celui qui ne peut pas reparcourir sa vie à l'envers, et doit s'arrêter à un moment donné, car sa jouissance s'arrêtera là.

Nous retrouvons ici sur l'oreiller, tout ce que nous avons connu de si complexe dans l'enfance : le désir, l'amour, la haine, l'ambivalence. La sexologie peut-elle se contenter d'être comportementaliste alors que les amants paraissent se heurter à des interdictions, des pouvoirs, des « permissions intériorisées » et depuis si longtemps ?

Même un couple dont l'entente physique est bonne peut échouer certains jours où l'affrontement des forces a été intense entre les partenaires, qu'il ait été exprimé ou latent. Car ce soir-là, ni l'un ni l'autre ne pourra imaginer le partenaire comme « bon objet ».

Ce qui pourrait aider l'homme et la femme aux prises avec de telles difficultés serait, semble-t-il, de pouvoir d'abord en situer l'origine au lieu d'en incriminer l'aboutissement. Ce serait de savoir également que, compte tenu de notre longue dépendance à l'adulte, du fait de notre prématuration à la naissance, la question du pouvoir restera fondamentale dans un rapport à deux (qu'actuellement ce rapport de forces ne questionne que le féminin, puisque l'éducation est féminine, n'est qu'un problème de plus qui aggrave la relation entre les sexes).

J'ai pu faire cesser les difficultés sexuelles d'un jeune couple en faisant changer de poche l'argent du ménage (pas plus difficile que cela, il suffisait d'y penser). J'ai pu débarrasser un jeune marié de l'image de mauvaise mère que projetait sur lui sa jeune femme, en prenant moi-même la place d'une très méchante femme. D'une façon ou d'une autre, toute difficulté du couple ne peut être aplanie qu'autant qu'on coupe à la *projection de la mauvaise mère* sur le conjoint.

C'est une chose que l'on devrait savoir avant même le mariage.

La femme devrait être prévenue de son taux d'insatisfaction lié à la relation difficile avec sa mère, et savoir que c'est ce qui la poussera à tant faire pour « tout » obtenir : porte ouverte à l'aliénation au désir de l'homme, négation de celui de la femme (qu'elle paye souvent de sa frigidité).

Je connais des fausses cuisinières, des fausses mondaines, des fausses sportives : pour garder son homme-désirant, de quoi la femme n'est-elle pas capable ? N'a-t-elle pas été dressée de bonne heure à payer très cher le prix du désir ? La femme finit par ne plus savoir si ce qu'elle montre, c'est ce qu'elle est ou ce que l'autre veut qu'elle soit, car elle est retombée à travers l'amour dans la conformité à la norme de l'« autre ». Vieille histoire dans la vie d'une femme, identification qui prend le pas sur l'identité. Je vois bien des femmes déshabitées d'elles-mêmes, déshabitées de leur propre désir, à la suite d'un mariage voulu symbiose. Et ces femmes se plaignent de leur manque de désir sur l'oreiller.

L'homme devrait connaître sa tendance à la domination, motivée par la crainte de retomber sous la domination féminine d'antan. Il a à se souvenir que sa tendance constante est d'écarter la femme de sa route et qu'il est prêt pour cela à user de tous les arguments même malhonnêtes, même faux. Sa grande peur de la femme paraît parfois dépasser son grand amour... Enfin il doit songer que s'il a dû s'obliger au silence et à la fuite affective pour se détacher de sa mère, il n'est peut-être pas nécessaire de maintenir le « blocus » à vie, avec cette autre femme qu'il a maintenant à ses côtés.

Savoir que l'on rejoue une scène bien connue éviterait à certains de vivre de grands drames. Et une connaissance de la psychologie de chacun des partenaires éviterait que bien des conflits ne tournent à la catastrophe, avant que nul n'ait saisi clairement de quoi il retournait.

Ils se séparent, elle disant : « Il ne m'a jamais comprise » alors qu'elle parle de sa mère, lui, la qualifiant d'« emmerdeuse », terme dont il a secrètement affublé sa mère, quand il était jeune. N'avons-nous pas dans nos bureaux d'analystes l'impression d'être consultés pour un conflit dont le véritable partenaire n'est pas celui que nous avons devant nous ? Il s'est cru « enfermé », elle s'est crue « seule », n'étaient-ce pas leurs fantasmes de jeunesse ?

Chacun n'est-il pas en train de nous parler de ses avatars avec Jocaste ?

Comment parler pour sortir de leurs cloisonnements, quadrillages, distinctions, oppositions... Comment nous désenchaîner de ces termes, nous libérer de leurs catégories, nous dépouiller de leurs noms ? Nous dégager VIVANTES de leurs conceptions ?

LUCE IRIGARAY

10.

WORDS OU WAR

Et les mots, que faire des mots ? Ces mots qui ont enfermé si souvent les femmes, et dont elles apprennent à sortir avec d'autres mots, enfin différents de ceux que l'homme leur avait attribués.

Fils et filles de la même Mère, pourquoi cette guerre des mots ? Pourquoi ce sexisme toujours présent dans le langage ? Pourquoi ce refus de parler la même langue selon qu'on est homme ou femme ?

Le langage né de la rupture avec la mère a aussi servi à la faire revenir, l'objet était le même, pourquoi la façon de s'exprimer est-elle si marquée par le sexe auquel on appartient ? Et les sujets abordés si rigoureusement établis selon le sexe ? Pourquoi une telle ségrégation ? N'est-ce pas le fait de sociétés patriarcales où l'homme détenant le pouvoir, détient aussi le « verbe » et le marque de son besoin de distanciation à la femme, femme assimilée à la Mère ?

C'est parce que le langage est, depuis des millénaires, la possession de l'homme, qu'il porte la trace de la bataille anale à la Mère et qu'il recèle la crainte du rapprochement avec tout ce qui est féminin, avec tout ce qui est du corps et rappelle la Symbiose avec ELLE. Le sexisme du langage, c'est le fait de l'homme habité par la peur d'employer les mêmes mots que les femmes, de se retrouver aux mêmes lieux que les mères.

Le langage, dans notre société, étant masculin, il est forcément marqué d'antiféminin, c'est ce que les femmes découvrent peu à peu [1].

Un homme a comme image première, dans nos familles latines, l'image d'une femme ; un homme apprend forcément à parler avec une femme, sa mère, et tout son travail d'homme consiste à s'établir dans la différence par rapport à elle, pour éviter de « devenir » femme. Un homme ne peut se construire dans un premier temps que dans l'opposition à la mère, que dans la contre-identification à la femme.

Beaucoup plus tard dans sa vie, il s'établira par rapport à son père, mais malheureusement pour nous, femmes et hommes, bien des hommes restent plus marqués par leur relation primitive à la mère qu'à leur relation seconde avec le père. Un livre comme *Féminin masculin* [2] classifie et recense, avec humour et finesse, qualités et défauts féminins et masculins. Il apparait que ce qui est vu comme qualité pour un sexe est en général dénoncé comme défaut pour l'autre. L'explication de ce curieux phénomène réside dans le fait que le caractère de l'homme ainsi que son langage se construisent en opposition à ceux de la mère, celle-ci étant repère identificatoire impossible pour son fils (inutile de rappeler que seul le garçon dans son langage passe par une période anale d'injures grossières, le plus souvent sexuelles, et visant le sexe féminin).

Le langage masculin est forcément marqué d'antiféminin. Alors, si les femmes veulent parler, comment le feront-elles ? Car, si elles entrent dans le discours masculin, elles en adoptent l'antiféminin et parlent à l'encontre d'elles-mêmes, et si elles prétendent parler autrement, elles aggravent encore la différence entre les sexes et participent à l'éloignement édicté par l'homme lui-même qui ne pense à aucun moment pouvoir parler comme une femme et soutient mordicus l'existence de deux natures et de deux discours. Aussi ne suis-je pas sûre que les femmes qui revendiquent si fort leur droit à la différence ne soient point tombées sans le vouloir dans le piège de l'homme qui ne rêve que différence d'avec la femme.

Depuis le « Christiane se forme » de mes treize ans, jusqu'au récent « les femmes féministes vous êtes en train de creuser

1. Marina Yaguello, *Les Mots et les Femmes,* Ed. Payot, Paris, 1979.

2. A. Laurent, *Féminin masculin,* Ed. du Seuil, Paris.

votre propre tombe », en passant par tous les « ah ! voilà la plus belle » pour aboutir il y a un mois à peine au « le SALUT des femmes ne passerait-il pas par le silence ? » lâché par un de mes confrères (lire contre-frère ou faux-frère...) psychanalystes, je n'ai vu en effet qu'une seule et unique chose : l'homme par tous les moyens cherche à m'établir « différente ». Avec cet analyste, j'ai même appris une chose de plus, c'est que je suis condamnée à mort (puisqu'on parle de mon salut) depuis mes treize ans, ou peut-être depuis le premier jour, moi qui suis faite pour donner le jour. N'est-ce pas cette différence d'avec lui que l'homme ne supporte pas en moi ? Et ne tente-t-il pas invariablement de me ramener à cette unique fonction de gestation de l'enfant, me privant de toute autre. Il a retourné cet avantage en désavantage et, si j'ai ce miracle inscrit en moi, il gardera tous les autres, et m'en interdira l'accès. Dois-je accepter comme ségrégation ce que j'ai reçu comme « sexuation » ?

Quel effort pour une femme d'exister ailleurs et autrement que là où le lui prescrit l'homme, son compagnon ! Quelle difficulté de lui parler en étant sûre de lui déplaire ! Comment d'autre part, parler un discours qui ne serait pas le mien, mais celui de l'« autre » ? Autant se taire ! C'est du reste ce que les femmes ont fait pendant longtemps ! Plutôt que d'engager la guerre, elles se taisaient et l'homme trouvait cela naturel. Puisqu'« elle » se voulait « objet de l'homme », la femme ne pouvait en même temps être sujet.

Le discours de l'homme est mortifère pour la femme dans la mesure où, la prenant comme objet, il lui enlève sa place de sujet et décide pour elle de ce qui lui est bon. Ainsi c'est l'homme qui définit la place et le langage féminin, et ce ne peut être qu'une place de morte et qu'un rôle de muette puisque ce n'est pas elle qui en décide.

Voir se jouer et se rejouer perpétuellement la même pièce de théâtre, où les règles sont toujours les mêmes, et les rôles répartis de la même façon, être en même temps actrice et spectatrice d'un scénario que je n'ai pas écrit, savoir que le dénouement passe forcément par ma disparition, tout cela ne m'amuse guère, même si je sais parfaitement jouer mon rôle.

Donc impossible de parler, pour une femme, sans avoir l'impression de ressusciter des « mortes » grâce à la transgression assumée qui la fait passer *d'objet à sujet* et la dresse immédiatement et inévitablement contre le désir le plus secret de l'homme. Un homme peut-il lire ce que j'écris sans se sentir *attaqué* du fait de mon existence ? Je sors de la nursery, où il pensait m'avoir enfermée pour un bon moment. Je sors du vestiaire, déclarant que ses habits je m'en fous totalement. Je sors de la cuisine en lui disant que, s'il a faim, il n'a qu'à se nourrir. Et pour finir je lui déclare que j'ai appris tous ces rôles stupidement, aussi stupidement que lui ne les a pas appris, et cela risque à présent de le gêner, comme moi il me gêne de ne pas avoir appris à parler, écrire, penser.

C'est cela la naissance des femmes : elles se mettent à exister en fonction de leur désir propre et tant pis si cela ne tombe pas dans le rêve, ni dans le fantasme de l'homme. Et les difficultés de la vie en couple s'en trouvent accrues, du fait que l'esclave se révolte et préfère renoncer au salaire de la « reconnaissance » par l'homme. L'homme qui se croyait à l'abri d'une nouvelle guerre avec Jocaste grâce à une répartition précise des rôles voit son système attaqué de toute part. Les femmes un peu partout poussent le « cri » du nouveau-né, qu'elles appellent d'ailleurs avec humour celui de la *Jeune-Née*[1]. N'ont-elles pas l'impression de « parler » pour la première fois, de cesser enfin d'être « parlées ».

Toutes ces femmes qui crient à la fois, cela fait bien du bruit aux oreilles de l'homme qui ne sait comment faire pour retrouver sa tranquillité séculaire du temps où les femmes étaient muettes, c'est-à-dire mortes. Toutes les femmes qui ont pris la parole jusqu'à présent ne l'ont-elles pas fait avec colère, véhémence, scandale ou étonnement d'être restées dupes si longtemps ? (Simone de Beauvoir, Luce Irigaray, Kate Millet, Benoîte Groult, Annie Leclerc.)

Et moi-même, n'est-ce pas l'endroit de ma réflexion où je me sens le plus irritée de ce qui m'est arrivé parce que née femme : c'est à la parole, en effet, que se tient la mort qu'on a voulu semer en moi. Si je veux parler et si je veux exister, ce sera contre la parole de l'homme qui m'a annihilée, car je ne l'ai jamais oubliée cette fameuse parole d'homme : « Si les

1. Hélène Cixous, *La Jeune-Née.*

femmes savent quelque chose, la psychanalyse a-t-elle quelque chose à faire de ce qu'elles sauraient [1] ? »

Ne réside-t-elle pas là la grande peur panique de l'homme vis-à-vis de la femme, qu'« elle » ne prenne la parole au même lieu que lui ? Et Dieu sait que la psychanalyse est un lieu particulièrement masculin. Où l'on se permet aisément de parler d'un féminin qui n'a souvent rien à voir avec la femme... Le langage de l'homme peut-il être autre chose qu'exécution, exclusion de la femme-Mère ? Rappelons-nous la phrase de Lacan : « La femme, ça ne peut s'écrire qu'à barrer *la.* » Langage qui raie la femme, qui la refuse, l'écarte en tant que référent féminin, langage qui s'éloigne toujours plus de ce qui peut rappeler la Mère. Le langage lacanien est le modèle du langage masculin, lieu de fuite loin de celle qui en rappelle une autre. Ne peuvent suivre que ceux qui ont laissé leur âme au vestiaire et fait l'holocauste de leur sensibilité à la mère : le langage lacanien est typiquement un discours antiféminin (même si certaines femmes relèvent le défi de le parler) parce qu'il a pour but et pour effet de nous tenir loin du corps et des affects, ne serait-ce que par sa forme ésotérique.

En face, que disent les « nouvelles femmes » sinon que leur langage à elles *inclut le corps,* conserve les affects tout en ne négligeant pas le concept, refusant absolument toute dichotomie entre le verbe et le concept... Elles disent que cette coupure corps-esprit dans le discours est le fait de l'homme hanté par l'idée de fuir tout ce qui lui paraît faire partie d'un univers qu'il a vécu comme féminin.

Les femmes féministes manifestent que la Castration, ce n'est pas leur affaire... Et qu'elles sont décidées à parler de tout et de toutes les façons ! Les sujets *tabous* seront réintroduits, les mots *interdits* seront prononcés. Les femmes sont occupées à lever les interdictions qui les concernaient, car elles se rendent compte que c'est l'homme qui avait dressé tous ces barreaux pour mieux enfermer la « sorcière ».

Cessant de se référer à la loi de l'« autre » les femmes sont en train de traverser l'hystérie, d'émerger de l'aliénation : le langage n'est plus féminin par sa forme, mais le devient par son fond. Or jusqu'à maintenant, une femme était femme par l'exté-

1. W. Granoff, *La Pensée et le féminin.*

rieur, par son aspect, par sa parole qui devait revêtir une certaine forme et se cantonner à certains sujets.

Les féministes rejettent l'idée de se définir par l'extérieur. Elles renoncent donc à la démarche « hystérique » comme mode de vie, c'est ce qu'il est très important de saisir à propos du nouveau langage féminin : il se parle du dedans et non plus du dehors, et c'est pour cela qu'il nous touche au cœur de nous-même, au-dedans de nous-même. La nouvelle forme d'expression des femmes a quelque chose de fascinant, d'étourdissant, quelque chose de l'ordre de la liberté, de l'envol, de la course vers des horizons sans limites. Après l'hyper-castration de la parole, c'est l'anticastration... Les femmes éprouvent le besoin de s'échapper dans un premier temps ; elles chercheront ensuite leurs propres limites qui ne seront plus celles fixées par l'homme.

Par exemple, moi il m'amuse énormément de renvoyer l'homme à son ENVIE (d'utérus), à son UTERUSNEID [1], lui qui a tant joué de mon PENISNEID [2]. Il me plaît de dire ce que je sais de lui, alors que jusqu'ici j'écoutais ce qu'il disait de moi... Ils parlaient toujours de notre frigidité, elle faisait presque partie du programme, et moi je découvre que leur impuissance les hante comme vestige ineffaçable de la peur de la mère-femme. Pourquoi ne le dirais-je pas ? Car le souvenir de Jocaste habite aussi bien l'homme que la femme, et devant le désir d'autrui nous ne valons pas cher, ni les uns ni les autres...

Mais la grande différence entre mon langage et celui de l'homme, est que le mien est fait pour être saisi, pour établir un lien avec l'« autre », alors que le sien m'a toujours fait fuir, m'a toujours maintenue à distance... Moi, j'ai horreur des distances... Et quand on me demande s'il n'y a pas un psychanalyste masculin qui ait tenté de rendre les problèmes inconscients du couple accessibles aux néophytes, j'ai toujours envie de rire, parce que je pense que l'homme ne se plaît que dans la distance, en particulier vis-à-vis des femmes, et que toute démarche de rapprochement de ma part est ressentie comme usurpatrice, toute tentative d'existence venant de moi vue comme castratrice pour lui.

Mais oui, toute existence de l'un ne menace-t-elle pas celle de l'autre ? Sartre l'a dit : « L'enfer c'est les autres. » Oui,

1. et 2. *Neid,* mot allemand signifiant manque de, envie de.

enfer et paradis sommes-nous les uns pour les autres, mais l'ennui, c'est que les hommes (mis à part les poètes) voient les femmes plus souvent comme enfer que comme paradis. Le fameux « j'adore les femmes » n'est-il pas la révélation affichée d'une adoration qui sans cela ne serait pas perçue ?

Toute femme qui n'est pas un paradis pour son homme (c'est-à-dire qui se montre frigide), ne commence-t-elle pas par sortir de l'enfer où il la maintenait ? Et ne prend-elle pas d'abord sa part de liberté et de « vie » avant de prendre celle du « vit » ? Il y a donc bien là un rapport entre existence et jouissance, et si l'homme nous veut vraiment « jouissante », il nous acceptera « existante ». Ce n'est pas par hasard si c'est en prenant la parole et un certain pouvoir que les femmes se sont posé la question de leur jouissance.

Elles s'aperçoivent qu'en acceptant l'aliénation d'un rôle social et familial, elles ont également aliéné leur sexualité originelle pour en faire celle attendue par l'homme.

C'est en voulant réparer le manque de « reconnaissance » de la part de l'homme dans le jeune âge que les femmes à l'âge adulte se précipitent vers le miroir tendu par l'homme. Or dans ce miroir, la femme ne voit pas son image mais celle que l'homme a d'elle. Jocaste a imprimé au cœur de l'homme sa trace indélébile car ce miroir ne contient que l'image d'une femme « morte ».

A question aliénée, réponse aliénée. Lequel erre davantage, de celle qui questionne ou de celui qui répond ? De toute façon, l'un et l'autre parlent à travers leurs mésaventures avec Jocaste.

Il n'y a donc aucun reflet non mortifère que nous puissions trouver chez l'homme à cause de son histoire personnelle. Accepter la part de langage qu'il nous attribue, c'est accepter le SILENCE (comme me l'a si bien dit un analyste). Devenir ce que l'Autre veut que nous soyons, exprimer ce qu'Il pense, y a-t-il pire mort ? L'homme n'est pas fait pour donner naissance, même si la femme se réfugie auprès de lui pour une éventuelle mise au monde. Il n'accouchera que d'une « morte-née ».

« J'ai toujours marché à l'envers de moi-même », m'a dit ces jours-ci une femme. Oui, c'est bien en effet ce que font les femmes, car, à partir du miroir tendu par l'homme, la femme ne peut s'avancer que vers l'antiféminin et « la chère menteuse[1] » le sait bien, mais elle préfère mentir plutôt que « mourir »... Une fois de plus, la femme paie le tribut à Jocaste. Elle a recueilli la mort alors qu'elle cherchait la vie, Annie Leclerc n'écrit-elle pas : « La seule chose que vous nous ayez jamais demandée avec une réelle insistance, c'est de nous taire ; à vrai dire on ne peut guère exiger davantage ; au-delà, c'est *la mort* qu'il faut exiger[2]. »

Naître par la parole de l'homme, c'est perdre l'accès à ce qui aurait pu être *notre existence* et plonger à tout jamais dans la *sienne* qui passe par notre disparition. Montherlant, cet antiféministe notoire ne nous présente-t-il pas la femme comme un papillon qui vient irrémédiablement brûler ses ailes à la flamme de l'homme ? Ne fait-il pas dire à Inès dans *La Reine morte :* « Le jour où je l'ai connu, est comme le jour où je suis née » et répondre par Ferrante le roi : « Toutes les femmes, je l'ai remarqué, tournent avec obstination autour de ce qui doit les brûler. »

C'est du désir de naître de la femme, confronté aux souhaits de mort de l'homme vis-à-vis d'elle, qu'il est question ici. Et Inès trouvera la mort auprès de qui elle cherchait existence.

La femme ne cherche-t-elle pas invariablement existence auprès de celui qui ne peut que la lui refuser ? Eh quoi, cet homme tant attendu, tant idéalisé, ne le rencontre-t-elle que pour qu'il lui révèle l'irrecevabilité de sa demande auprès de lui, un homme ?

N'est-ce pas folie que de chercher auprès de lui, ce que nous n'avons pas trouvé avec la femme-mère ? Car d'où l'homme pourrait-il répondre à celle qui le prend comme caution de son être physique et moral ? Il lui répond de sa « forteresse », celle qu'il a appris à dresser entre la femme et lui. Il a décidé qu'il n'accorderait plus rien à celle qui ne lui a que trop pris lorsqu'il était petit et impuissant à se défendre... La voilà qui vient se constituer prisonnière, eh bien, elle va connaître à son tour les affres de la naissance aux mains de l'autre sexe, elle veut de l'Œdipe, elle en aura, et même au-delà de ses espérances. De cet Œdipe-là, la femme n'est pas près de se dégager. Elle veut du « plaire à l'autre », elle en aura

1. G. Rolin, *Chères menteuses,* Ed. Gallimard.
2. A. Leclerc, *Parole de femme,* Grasset.

moyennant un dur esclavage. Elle aura tout ce que le petit garçon a connu autrefois. Elle sera désirée, mais enchaînée. Elle obéira au chantage sous peine d'être rejetée, en un mot la femme trouvera dans son rapport à l'homme, tout ce que le petit garçon a souffert dans son rapport à la Mère.

Il l'aime, oui, mais en la « prescrivant », il l'accepte oui, mais seulement si elle lui « obéit », il la protège, mais seulement si elle « renonce à toute liberté », et pour finir il la « trompe » parce que sa mère à lui le trompait bien avec le père. Le règlement de comptes de l'homme est en cours, et l'Œdipe de la femme en fera les frais. L'Œdipe qui avait tant manqué à la fille, elle ne cessera plus de le vivre à partir du moment où elle sera femme. Mais quel Œdipe ! avec quel père ! Car l'homme a oublié comment conjuguer les verbes, assembler les mots pour faire une phrase affectueuse, et souvent désemparé devant la demande de celle qu'il aime (croit aimer) il lui dit : « Mais qu'est-ce que tu veux que je te dise ? » Il ne sait vraiment pas que lui dire, à celle dont il a surtout appris à se défendre.

Du reste n'aurait-il pas plus de facilité à lui dire des choses désagréables qu'agréables ? C'est ce que beaucoup d'hommes ont exprimé au cours de leur analyse.

« Elle veut que je lui dise que je l'aime, je ne peux pas le dire à cause de la distance à maintenir avec elle... »

Qui leur en voudrait ? Qui leur reprocherait de ne plus pouvoir faire de cadeau à Jocaste ? Ils ne peuvent plus faire plaisir à une femme sans se rappeler la jouissance que leur mère tira d'eux.

C'est au nom de la Mère que la belle-fille sera privée de mots. Du reste, c'est bien connu, les hommes n'ont pas plus de mots pour les unes que pour les autres et s'avèrent incapables d'intervenir en cas de conflits belle-mère-belle-fille. Ils se taisent, ne trouvant pas les mots pour exprimer un choix qui n'est jamais très clair : fils, objet de la « Mère » qui se défend contre sa « Femme ». Fuyant celle qu'il voit journellement, il reste englué dans le compte à régler avec celle qu'il ne voit plus. Et entre leurs mères et leurs femmes, les hommes ne savent plus à quel SEIN se vouer.

Les inégalités sociales dont souffrent les femmes, c'est les hommes qui les maintiennent, au nom de leur enfance toujours à venger : ils ont été lieu de jouissance pour leur mère, les femmes seront « marchandise » (*cf.* L. Irigaray [1]) pour eux.

Mais depuis quelque temps, curieusement, les femmes cessent d'assiéger la forteresse masculine et elles se mettent à se questionner entre elles, à se parler entre elles, comme si elles avaient enfin compris que la réponse de l'homme ne pouvait être que leurre ou pis encore. Elles se répondent les unes aux autres, elles traversent la dangereuse concurrence féminine forgée par l'homme, et elles découvrent enfin la similitude tant recherchée et toujours évanouie depuis l'enfance.

Dans la femme adulte, toute autre femme retrouve le vrai miroir, celui qui ne reflète ni sorcière, ni allumeuse, ni dévoreuse, mais une femme pareille à elle, et l'homosexualité ratée au départ à cause de la disparité des corps mère-fille, se retrouve là. Mais après combien d'égarements et de malheurs dont le principal fut pour la fillette d'avoir fantasmé l'homme comme bonne mère, alors que l'homme « œdipien » rencontré était son pire ennemi.

Si l'identité de l'homme a reposé pendant des siècles sur la contre-identification à la femme, réduite à un stéréotype maternel et maintenue grâce à cela dans des lieux et des langages bien déterminés sur le plan social, l'identité des femmes semble s'établir sur la prise de conscience d'un commun esclavage et d'un silence partagé vis-à-vis de l'homme. Ce silence-acquiescement se transforme en parole-opposition, et l'homme s'en étonne. Pourtant il connaît bien le langage opposition au pouvoir de l'« autre », il semble même ne connaître que cela vis-à-vis de la femme.

Les femmes ont beaucoup de mal à établir cette homosexualité de parole si nécessaire à leur identité, car l'homme les a tellement dressées les unes contre les autres à coup de « bel objet » que toute femme est devenue pour les autres une dangereuse concurrente. Les féministes l'ont bien compris qui demandent d'abord que cesse cette horrible comédie du « plaire à l'homme » pour que puisse s'instaurer une nouvelle relation entre femmes, dénuée de haine et de comparaison ; pour que naisse enfin un véritable langage de femmes et non plus un verbiage autour de ce qui plaît à l'homme.

1. Luce Irigaray, *Ce sexe qui n'en est pas un*, Ed. de Minuit, Paris.

La femme ne peut-elle NAITRE que d'une autre femme qui ne soit pas sa mère ? La femme ne peut-elle avoir comme miroir narcissique qu'un *corps pareil* au sien ? N'est-ce pas la dialectique qu'a traversée la jeune fille à l'adolescence lorsqu'elle a vu son corps devenir pareil à celui de la mère ? Oui, mais la guerre était déjà installée entre elles deux, et l'homosexualité refusée depuis longtemps. Les femmes dans les mouvements féministes font-elles autre chose que se reconnaître les unes les autres et renoncer au « tiers aliénant » que représente l'homme, fils de Jocaste ?

Nous arrivons enfin à ce nouveau langage qui n'aura peut-être plus rien à voir avec celui que l'homme avait prévu pour nous comme féminin ; peut-être ne parlerons-nous plus cuisine, ni robe, ni bébés. Qui sait ? Il nous faut le temps de nous défaire de tout ce qu'on nous a si bien inculqué depuis des siècles, il nous faut le temps de nous habituer à notre liberté, le temps de choisir notre route, car jusqu'à présent notre route était celle de la reproduction. Que produirons-nous quand production et reproduction se seront différenciées dans notre tête ? Quand notre langage ne sera pas identifié à notre sexe, comment parlerons-nous ?

Au nom de notre sexe, on nous avait attribué des sujets et des modes d'expression. Il suffit d'ouvrir un journal pour s'apercevoir que la mutation est encore à venir, et que les stéréotypes de l'homme « fort » et de la femme « corps fait pour plaire » sont toujours là. Notre langage est devenu sexiste, notre consommation elle-même est sexiste (parfums pour femmes, parfums pour hommes, montres pour femmes, montres pour hommes, etc.). Qui osera toucher au bastion de la consommation, dont nous savons bien que la principale preneuse est la femme qui court après son « image de femme » ?

Tout cela ne peut basculer en un jour. L'homme gagne du temps, car il craint dans cette affaire que la femme ne lui présente plus la part de lui-même qu'il lui avait confiée et à laquelle il avait renoncé. Il a peur de devoir vivre sans affectivité, sans mots d'amour puisqu'il les a tous oubliés. Il a peur de verser uniquement dans un monde masculin, car sa féminité, sa sensibilité, son désir de plaire, il a tout laissé au vestiaire. Si nous repensons *notre identité,* il sera obligé de repenser *la sienne.* C'est bien cela qui le taquine dans le féminisme. Pour l'instant il n'en est qu'à la gouaille. Mais il sait qu'il n'enraiera pas ainsi un mouvement aussi vaste, et que lui aussi sera obligé de faire l'inventaire de tout ce qu'il a perdu en route depuis son histoire avec Jocaste. « Car il est devenu un homme, c'est-à-dire la caricature de ce qu'il était » (Montherlant, *La Reine morte*).

En effet, si notre langage a pu garder la couleur et la fraîcheur de l'enfance pré-œdipienne, celui de l'homme est passé sous le couperet de l'interdit œdipien, qui lui a arraché toute coloration affective puisque l'amour pour la mère, qui a été si marquant pour le garçon, est en définitive un amour « barré », et que l'enfant mâle se voit obligé de quitter le royaume maternel non seulement à coup d'agressivité, comme nous l'avons déjà vu, mais aussi à coup de langage : froideur, logique, silence, absence de sentiments et d'émotions, tel est le langage masculin selon la loi œdipienne.

L'homme s'attache à être aussi « froid » qu'il nous veut « chaudes ». Qu'est-ce que cette répartition des affects, distribués selon le sexe ? Qu'est-ce que ce sexe qui envahit toute notre personne ? Les différences sexuelles de nos corps ne sont-elles pas assez signifiantes qu'il faille y joindre les différences de nos esprits ? Et si les sexes tentent de se rejoindre dans l'acte sexuel, faut-il que les têtes se voient de plus en plus écartées ? Pour avoir voulu retrouver la complétude du sexe originel (Platon), devons-nous connaître l'incomplétude de l'esprit divisé en deux entités mâle et femelle ? Nous n'avions que la moitié du sexe chacun, mais s'il faut n'avoir que la moitié du langage également...

Donc cette distribution des valeurs, des rôles, du langage selon le sexe, ne fait qu'accuser la différence qui, au lieu de nous servir d'alliance, nous sert le plus souvent d'épouvantail. Nous ne nous comprenons même plus... N'entendra-t-on pas des injures de ce style, pour un homme : « Vous ne croyez pas que vous tenez un discours féminin ? » et pour une femme : « Ne vous exprimez-vous pas de façon masculine ? » Si nous avions pu, lorsque nous étions petits, parler autant avec le père qu'avec la mère, le langage féminin, les émotions féminines, n'auraient pas été les seules références à reproduire ou à éviter, et peut-être n'y aurait-il pas de guerre des mots.

C'est le devoir de quitter la mère, qui a enfermé le garçon dans un langage vidé d'affectivité ; si l'Œdipe de celui-ci ne passait pas par la négation de celle-là, le langage n'aurait pas à être sexiste...

Il faut que l'homme cesse de régler son compte à la mère sur notre dos, il faut que nous cessions, nous les femmes, de mettre notre sexe partout où il n'est pas... Les uns et les autres nous perdons là où nous croyons gagner... Les mots eux-mêmes nous trahissent, servant malgré nous à une guerre qui nous vient du berceau. Mais l'homme n'est pas plus responsable de son histoire œdipienne, que nous de notre drame pré-œdipien : c'est le fruit d'une société patriarcale où le règne de la mère dans l'enfance engendre, chez l'homme, la haine de tout ce qui est féminin et, chez la femme, le respect de tout ce qui est masculin. Reconnaissons à Œdipe le droit de dire :

« Mes actes, je les ai subis et non pas commis » (Sophocle).

Et à Jocaste le droit de se poser la question :

« L'amour rien que l'amour
aimer celui qui est la mort ?
Il ne te donne rien, celui qui te prend tout
il m'a tout pris ; tout donné ; tout *repris* » (Hélène Cixous).

N'est-ce pas, avec des siècles de retard, le début d'une prise de conscience commune de ce qui nous arrive du seul fait de naître homme ou femme ? Et peut-être allons-nous pouvoir enfin ensemble nous conter nos histoires si étrangement emmêlées, si différemment aliénées.

Au cours de leur rapport au langage, en effet, fille et garçon ne suivent pas le même itinéraire par rapport au même objet qu'est la Mère.

La fille est égarée une première fois, dans l'enfance, quand ne se sentant pas sexuée, elle adopte le comportement et le langage de la Mère : elle parle « comme une vraie petite bonne femme » ou elle parle « comme un livre ». De toute façon, avec le langage, elle franchit ou fait semblant de franchir l'écart énorme qui la sépare de la femme qu'elle ne se sent pas être : son langage, comme le reste de sa personne à cette époque, se plie à une loi séductrice, déclarée féminine : une fille ne dit pas de gros mots, elle se montre douce, gentille, s'emporte moins qu'un garçon... (*cf.* Belotti), elle apprend déjà là comment il faut être pour plaire au lieu de montrer comment elle est. Combien de fois ne m'a-t-on pas dit, parce que j'étais une fille : « Oh ! Christiane, que de gros mots dans une si petite bouche ! » Sans doute avais-je oublié un instant le rapport entre mon existence et mon apparence.

Par la suite, en arrivant à la puberté, la fille sera égarée une deuxième fois, mais par l'homme cette fois-ci qui lui fixera les sujets féminins à aborder si elle veut plaire. Ce sera l'amour, le corps, la beauté, enfin tout ce qui a trait au désir. Et le corps deviendra alors et restera le sujet le plus volontiers abordé par les femmes : corps qui plaît par sa beauté, ou corps qui inquiète par ses maladies, peu importe : le corps, c'est le sujet imposé aux femmes, dans une économie d'hommes.

Alors au moment de prendre la parole, la femme a peur à la fois de ne pas employer les *mots voulus* (déclarés féminins) et de s'écarter *des sujets permis*. Le plus souvent elle dit qu'elle n'a pas de mots pour s'exprimer (car les mots ne sont pas les siens, mais ceux qu'on a imposés à la femme qu'elle est) et elle a peur en ne prenant pas les mots de son sexe de ne plus apparaître « femme », elle a peur de déplaire. Corps-mots-sexe, tout s'embrouille dans sa tête, comme on l'a embrouillé pour elle quand elle était jeune, et elle se révèle incapable de se tirer de l'imbroglio : elle parle avec son corps (dit-on de la femme) ou elle ne parle pas à cause de son corps : « Dès que je suis debout devant un homme, je deviens stupide, je n'ai plus d'idées. Je ne peux même pas répondre avec à-propos j'ai honte de ma sottise, ma tête s'arrête, je ne suis plus qu'un corps », me disait une femme récemment. Corps barrage, corps prison de l'esprit, corps-objet de désir physique, qui empêche la femme de se situer en « sujet ».

Le garçon, dans son rapport au langage, passe également par la mère, mais là encore, d'une tout autre façon. Pour sortir de l'Œdipe et de la relation désirante avec la mère, il est amené à rejeter à la fois tout ce qui concerne son corps qui a été lieu d'attirance pour la mère, et tout ce qui marque l'affectivité dont elle l'a trop entouré, étouffé ; c'est dans une seule et même opération que le garçon va écarter certains sujets et choisir un certain langage dénué d'affects.

Voilà l'homme d'un seul coup sans rapport avec le corps et sans rapport avec les mots affectifs « n'ayant presque plus rien à dire » hormis des banalités non compromettantes. Le langage masculin, ou déclaré tel, est un langage-rupture, un langage-fermeture à la mère et à ses émotions, l'homme refuse les pleurs, les émois, il est enfermé lui aussi, mais c'est dans la rigidité contre la mère, par opposition à la tendresse qui a existé entre eux auparavant.

L'homme prend facilement la parole ou la plume, de toute façon il ne risque rien puisqu'il ne parle plus jamais de lui, mais toujours d'objets extérieurs à lui. Ce qu'il dit nous touche-t-il ? Rarement puisqu'il ne parle jamais à ce qu'il y a de sensible en nous, mais à ce qu'il y a de logique.

Un homme m'a dit cette chose surprenante : « Je me sens divisé en deux, d'un côté, il y a mon corps, qui n'est plus à moi (je leur en ai fait cadeau, à ma mère, à ma femme) et puis il y a ma tête qui tourne pour moi tout seul à 100 000 tours-minute. »

C'est bien clair : tout à l'heure, une femme me parlait de son corps trop présent et de sa tête absente (corps omniprésent qui obstrue tout accès à la Sublimation), maintenant un homme me parle de son corps absent et de sa tête qui tourne pour son propre compte (Sublimation qui occupe tout le champ libidinal et ne laisse pas de place au corps). Evolution inverse de l'homme et de la femme par rapport à la même Mère et qui leur donne souvent l'impression d'être aux antipodes l'un de l'autre. Que de choses se font et se défont dans ce corps, dans cette tête, à cause d'une femme.

Mais qui donc l'enlèvera de là cette terrible Jocaste, ou tout au moins qui la tempérera dans ses effets, sinon son époux Laïos le père-disparu ? Il faudrait pouvoir le ranimer, le ramener à son palais où se trouvent ses enfants. La place du Père, elle est partout où il y a son enfant : à la nursery, à la salle de bains, à la cuisine, à la maternelle, aux jeux. Partout où règnent les femmes, les hommes doivent exister à leurs côtés et à égalité, si nous voulons voir des enfants dont la sexuation ne tourne pas obligatoirement au parti pris pour ou contre la femme...

Ce qui est dénoncé actuellement par les féministes, c'est un langage où sans cesse la femme sert de référent négatif à l'homme pour parler, même quand il s'adresse à « elle ». Ils le font inconsciemment sans même y prêter attention, et les femmes ont décidé de leur faire prendre conscience de cette *lutte au niveau des mots*. Et moi, j'ai appris le parti de montrer comment, élevé par des femmes, l'homme ne peut avoir qu'un langage défensif ou agressif contre « elles ».

L'analyste ne sait-il pas mieux que tout autre qu'il ne s'agit que d'une « histoire » qui peut être effacée par une autre ? En particulier celle qui se déroule dans son bureau ?

Ne voyons-nous pas en analyse l'homme récupérer peu à peu la part affective de lui-même abandonnée autrefois, et ne voit-on pas sa rigidité faire place à une nouvelle souplesse qui ne passe pas forcément par l'opposition à la femme ?

N'assistons-nous pas à la naissance d'une « autre » femme qui, cessant d'être écrasée par la supériorité de la mère ou soumise au désir de l'homme, se met à exister par elle-même, sans recourir à une demande d'identité dont elle n'a plus besoin, puisqu'il n'y a plus personne pour la lui refuser.

Plutôt que d'analyser un par un les rescapés de l'Œdipe, on se prend à se demander si cet Œdipe ne pourrait pas être aménagé autrement, afin de ne pas déboucher uniquement sur la guerre des sexes et des mots.

La femme de Loth regarda en arrière et elle devint une statue de sel.

PENTATEUQUE : GENÈSE

La femme peut ainsi retourner à l'origine, à condition que ce ne soit pas la sienne.

LUCE IRIGARAY

Pas l'origine : elle n'y revient pas.
Trajet du garçon : retour au pays natal (...).
Trajet de la fille : plus loin, à l'inconnu à inventer.

HÉLÈNE CIXOUS

11.

VOYAGEUSE SANS BAGAGES

Retourner à moi-même, parler de mes attentes, de mes déceptions, de mes désirs : cette nuit sera consacrée au face à face avec ma vie de femme, je parlerai de moi. Mais comment ? N'ai-je pas fait que cela depuis le commencement de cet itinéraire ? Non, car le plus souvent j'ai parlé de « lui » et de « moi » marchant ensemble plus ou moins harmonieusement, j'ai décrit nos deux démarches zigzagantes, qui nous ont fait tour à tour nous éloigner et l'instant d'après nous rapprocher encore. Moi et ma demande, lui et son refus ont été les croisements œdipiens de nos deux routes, et à chacun d'eux nous prenions conscience de la distance parcourue depuis Jocaste et de celle à parcourir pour oublier Jocaste.

J'ai appris à déguiser mes demandes, il a appris à nuancer ses refus : Je n'ai plus demandé à lui plaire « à tous points de vue », et il ne m'a pas dit qu'il n'avait rien à faire de mon intelligence, mais il s'est arrangé pour que je l'utilise à des tâches bien spécifiques, en particulier domestiques, où il se faisait un devoir de se déclarer incompétent. Il essayait gentiment de me donner un strapontin à côté de son fauteuil d'orchestre. Et tout cela était si délicatement institué, si socialement accepté qu'il était difficile de s'en défendre. Par exemple, il était exclu que je quitte le poste de responsable à l'éducation, car qui s'en serait chargé à ma place ?

Il a fait semblant de ne pas voir que le poids de l'avenir

des enfants risquait de peser trop lourd dans la balance de ma propre vie.

A partir du mariage, je me suis vu proposer une vie par procuration, je devais profiter de la joie des autres, je devais veiller à leur sommeil, à leur santé, à leurs repas, et me réjouir que tout cela se passât bien, je devais faire de « leur » vie la « mienne ».

C'est cela être femme, se contenter des miettes du repas, se réjouir des bribes d'une conversation que les autres ont le loisir de mener, se lever pendant que les autres sont assis, etc. C'est vivre toujours un peu en retrait par rapport à ce qui se passe et c'est arriver à ressentir cela comme frustration épanouissante.

La femme est un escargot dont tout le monde emprunte la coquille pour avoir chaud, alors qu'elle-même se gèle bien souvent. La femme est un voyageur sans bagages, qui se transforme en porteur de ceux des autres. Quant au voyage il ne la ramène jamais chez elle, mais toujours chez les autres.

La femme, c'est celle qui ne peut pas se trouver car elle passe son temps à se quitter pour aller vers les autres, incroyable MAMA qui reçoit sa place des autres, et qui remercie le ciel d'avoir enfin une place, elle qui n'en a jamais eu jusque-là.

On lui a inculqué que son identité ne se cachait pas au tréfonds d'elle-même, mais au tréfonds de l'« autre » ; toujours en déplacement par rapport à elle-même, toujours en avant d'elle-même, ainsi se vit la femme. Elle a longtemps espéré que sa réalité correspondrait un jour au rêve de l'homme et qu'elle pourrait enfin ne plus ruser, ne plus mentir ; mais non, le rêve de l'homme par rapport à la femme est unilatéral et sans équivoque : « Recherche compagne 20 à 40 ans, douce, dévouée, tendre, discrète, éventuellement jolie », c'est ainsi qu'il nous veut, c'est ainsi que nous nous montrons, mais ce n'est pas ainsi que nous sommes !

Et l'homme, me direz-vous, n'en est-il pas réduit également au stéréotype de l'homme viril, a-t-il d'autre échappatoire que de se montrer compétent, adapté, fort, courageux, etc. ? Sans doute, mais après sa comédie du jour il s'accorde et on lui accorde le « repos du guerrier » : il rentre chez lui et retrouve là tous les repères de son enfance. Il demande négligemment ce qu'il y a pour dîner, il cherche la trace de l'attente, et il la trouve : son lit a été fait (on ne sait pas, on ne veut pas savoir par qui), son linge nettoyé, son couvert n'a pas été oublié, il peut donc se croire retourné chez sa mère, il peut regarder en arrière : les éléments du paysage de son enfance sont toujours là ; il est attendu.

Et moi, pendant ce temps, pauvre de moi ! Qui s'occupe de mon retour, de mon confort, de mon linge, de mon couvert ? Personne ; si ce n'est moi ; je « me » materne, incroyable leurre où un homme me prenant dans ses grands bras m'a laissé croire que je serais là enfin petite, que j'aurais enfin une maman aimante et désirante de ma personne. Mais c'est lui qui régresse et non pas moi, c'est lui qui continue sur sa lancée, et moi qui fais du sur place, car je n'ai toujours pas de refuge possible, même ici dans ma propre maison, puisqu'il n'y a personne pour jouer ma Mère. Je suis la seule sous ce toit à n'avoir pas de Mère. Comme j'étais la seule étant enfant à n'avoir pas d'objet sexuel adéquat selon mon sexe. L'histoire continue, ma place n'est jamais acquise, mais toujours à gagner, à conquérir, soumise à des tas de « si »... C'est toujours la même fuite en avant, je dois me montrer bonne mère, bonne cuisinière, bonne épouse, sous peine de n'être tenue pour RIEN. C'est bien la suite de mon enfance où je devais me montrer bonne petite fille pour ne pas risquer de ne pas être fille du tout. J'essaie en vain de coller à une image qui n'est pas la mienne parce qu'elle n'est pas sortie de moi : en fait, moi, je suis comme tout le monde, je n'ai pas envie d'être la Mère, mais d'avoir une Mère, et je ne trouve personne qui veuille tenir ce rôle auprès de moi.

Les femmes doivent s'occuper de l'avenir des autres, mais qui s'occupe du fait que leur propre a-venir ne vient pas ? Les femmes doivent-elles se contenter de l'a-venir des leurs ? D'ailleurs, les leurs, les miens, qu'est-ce que cela veut dire ? Car du mari, des enfants, rien ne m'appartient, ils appartiennent uniquement à la vie : chacun est plongé dans l'aventure de quatre-vingts ans à passer du mieux possible dans ce monde problématique dont la finalité échappe souvent.

Mais moi, je crois bien que ma finalité est établie à leurs yeux et que je « leur » appartiens. Je suis la MÈRE, ce qui doit m'empêcher de me poser les autres problèmes métaphysiques.

Contrairement aux autres membres de la famille je n'ai à aucun moment le droit de faire l'enfant car, dans ce cas, qui ferait la Mère ? C'est le rôle inéchangeable, c'est le truc qui colle à la peau car personne ne veut prendre la relève... Les femmes nourrissent les autres, mais elles qui les nourrit ? Personne, elles sont les seules à se nourrir elles-mêmes, à tourner en autarcie au sein d'une famille où tous les autres ont droit à la politique de l'échange. Et certains jours cela leur paraît si injuste, si erroné qu'elles n'ont qu'une envie : jeter tous les cabas par la fenêtre, piétiner toutes les salades, casser tous les œufs, et se mettre à pleurer, à pleurer... Pleurer comme des petites filles qu'elles sentent ne jamais pouvoir être, pleurer comme des êtres démunis, pleurer comme des enfants, comme des orphelines...

Certes on nous accorde théoriquement tous les signes de l'enfance : nous avons le droit de pleurer, d'être fragiles, faibles, incapables de réfléchir longuement. Mais, en vérité, on nous refuse le droit à l'impuissance véritable, au repos total, à la démission matérielle (celle que revendique l'homme quand il rentre chez lui le soir). Toujours fatiguées jamais arrêtées, telles nous accepte la société si bien faite pour le travail de l'homme suivi de repos, et pour le non-travail de la femme suivi de non-repos, de sorte que les femmes ne travaillent pas aux mêmes tâches sociales que les hommes, mais ont la particularité d'être sur la brèche vingt-quatre heures sur vingt-quatre.

Pour les femmes, il y a toujours impossibilité de trouver quelqu'un pour les relayer, un lieu où se retirer, quelques instants pour se reposer ; elles ne trouvent parfois que le médecin ou le psychanalyste qui acceptent de leur proposer une halte.

Et Dieu sait qu'elles le savent, toutes celles qui remplissent les cabinets de consultation du médecin, prêtes à égrener le long chapelet de leurs souffrances physiques, pâle reflet de leur solitude psychique. Mais le médecin peut-il « arrêter » celle qui n'a pas de travail bien défini ? Elle est fatiguée de vivre, hors d'elle, comment la ramener en elle, sa fuite est ancienne, elle date de son enfance, et fait maintenant partie du tableau de famille ; que faire devant cette femme fatiguée de tout et de tous ?

Il faudrait que l'homme, son compagnon, apprenne à lui offrir des retours en arrière possibles, il faudrait qu'il soit lui aussi nourricier, veilleur de nuit, garde-malade de ses enfants, pour qu'elle puisse, ELLE enfin, s'en remettre à quelqu'un, au lieu de s'en remettre au médecin. Il faut que l'homme renonce à sa quiétude pour que la femme découvre la sienne, il faut que l'homme délaisse un peu son Œdipe pour que la femme puisse découvrir le sien. Il faut que le mari cesse de jouer l'enfant pour que sa femme puisse cesser d'être la Mère.

Jusqu'à présent les hommes avaient une objection toute prête : « Nous n'avons pas le temps, et nos femmes l'ont », mais les femmes en allant au travail sont en train de fournir une autre réponse, car elles n'ont plus le temps de se faire exploiter familialement, esclavagiser conjugalement, elles n'ont pas plus de temps que l'homme. Alors maintenant il va bien falloir en parler clairement de ce droit à la régression, il va bien falloir le répartir, non plus en fonction du sexe, mais en fonction des besoins de chacun dans le couple...

Le problème nouveau qui se pose avec le travail des femmes, c'est leur droit à la Régression et leur accès à la Sublimation.

La sublimation : c'est le deuxième volet absent de la vie des femmes-mères. Après que la régression leur a échappé, la sublimation (comme l'a dit Freud) leur fait défaut.

Car la sublimation c'est le fait d'employer ses pulsions primaires « ailleurs et autrement » ; par exemple, au lieu de manger, on peut se nourrir l'esprit par quelque lecture bien choisie. C'est le cas de l'homme qui après avoir pris son repas, va lire son journal. Sa femme, elle, continue à vaquer à la cuisine, car au-delà du repas, il y a l'après-repas : le rangement, la vaisselle, etc. Comment trouverait-elle le moyen d'employer ses pulsions « ailleurs et autrement » puisque, lorsqu'elle aura fini toutes ses occupations, elle sera fatiguée et n'aura plus de libido à dépenser sous une autre forme : la façon de se dépenser pour une femme est tout entière organisée vers le CONCRET, de sorte qu'elle n'a pas de place pour l'ABSTRAIT. Il est facile, mais il est lâche, de dire que les femmes n'ont pas accès à la sublimation alors qu'on ne leur en laisse pas le temps. A preuve ce livre que j'ai eu tant de mal à glisser dans mon existence de femme qui travaille et qui a une famille. Si j'ai mis deux ans à l'écrire ce n'est pas par difficulté à l'élaborer, mais bien plutôt par impossibilité de trouver le temps d'en accoucher... Ce livre je l'ai porté en moi, tel un enfant à qui la société m'empêchait de donner le jour, contrairement à mes autres enfants de chair et d'os, pour lesquels on m'avait donné temps, repos et certaines facilités.

Un jour, dans un congrès de psychanalystes, j'entendais ces « messieurs » parler et déparler au sujet de la Mère dont le phallus à leur avis ne pouvait être que l'enfant, et je me disais que, ce faisant et mine de rien, ils mettaient la femme à cette place pour éviter de la rencontrer « ailleurs » et en particulier dans la sublimation. Comme j'étais intervenue dans ce sens, j'ai eu droit, à la sortie, à un petit aparté amical de la part du président de séance qui me dit textuellement : « Vous savez, nous n'ignorons pas que nous sommes injustes avec vous les femmes, mais nous n'aimons pas qu'on nous le rappelle. » Sursaut d'honnêteté chez un vieux loup de la psychanalyse qui voit la pente dangereuse amorcée depuis le « penisneid » devenu « pénis-enfant » et transformé en « sublimation-neid » ?

« Ils » ne veulent pas que je pense ni que je sublime, cela ils se le réservent ; à moi le rôle magnifique de Mère, à moi le piétinement journalier de celle qui s'occupe des autres. Alors, ils s'occuperont de moi, croyez-moi, ils iront même jusqu'à me définir hors de ce que je pense, loin de ce que je sais. Ce qu'ils savent, eux, ce qu'ils veulent, ils l'ont largement prouvé, c'est nous conserver à leur service, en nous faisant croire que c'est eux qui « turbinent » pour nous. Combien de fois n'avons-nous pas entendu cette fameuse phrase « ne vous plaignez pas, vous avez le meilleur rôle », mais combien de fois en ont-ils voulu de ce rôle ? Du drame de celle que nul ne « materne » ?

Les hommes nous connaissent mal, ou plutôt ne cherchent pas à nous connaître, ne s'occupant que de leur bien-être personnel, ils ont tenté de nous couler dans leur désir et ils ont oublié de tenir compte des nôtres en particulier de nos « régressions » et « sublimations ». Se souvenant de leur Mère toujours sur la brèche pour eux, ils nous ont assimilées à cette Mère, ils ont confondu définitivement les deux entités *mère, femme,* et puisque nous sommes leurs femmes, nous devons leur servir de Mère. Puisque leur Mère était grande lorsqu'ils étaient petits, nous aurons à rester « grandes » pour qu'ils puissent chez eux se retrouver « petits ». Mais nous, qui sera « grand » auprès de nous pour assurer notre régression de temps en temps ? Car le désir de retourner en arrière, le désir de retrouver l'enfance appartient à tout le monde, aussi bien à l'homme qu'à la femme. Il est injuste de vouloir le répartir selon le sexe : à partir du mariage, l'homme semble avoir comme lieu de régression possible toute sa maison, la femme seulement son lit. Mais là encore, problème de l'homme qui exige la jouissance de la femme comme son dû à lui, au lieu de la lui procurer comme son droit à elle ; conflit du lit, conflit avec celui qui s'est montré mauvaise mère le jour, et voudrait devenir bonne mère la nuit. Position souvent refusée par la femme qui estime en avoir assez fait pour lui aujourd'hui et le prive en se privant de jouissance (p. 30). Il y a des femmes qui ne connaissent d'orgasme qu'avec elles-mêmes, parce qu'elles ne connaissent de maternage qu'avec elles-mêmes le restant de leur vie.

Pour la plupart des femmes il n'y a dans la vie de chaque jour ni lieux ni moments de régression possibles et les maris autrefois amants prévenants et délicats qui pensaient aux plaisirs de leur bien-aimée se sont maintenant assimilés aux deux ou trois enfants qui réclament goulûment leur part d'affection, de nourriture et d'attention journalière. Ils pensent que si elle le fait pour trois, elle peut bien le faire pour quatre. En soi le raisonnement paraît juste, mais, pour l'inconscient, il est faux : l'homme qui est assis là n'a pas été choisi comme enfant mais comme partenaire affectif donc comme mère. Qu'en fait-il ? Et qu'en sait-il ?

Avec le mariage la régression change de bord... Les femmes n'ont plus que la ressource de se materner entre elles (si leur homosexualité le leur permet) ou de régresser avec la nature, dans des lieux non investis par l'homme, non contrôlés par lui... Au nom de l'enfant, la femme s'accorde et on lui accorde le droit de se prélasser au soleil sur une plage, chose impensable en son nom propre. Elle reste là, inactive, réchauffée par le soleil qui, lui au moins, ne ménage pas sa chaleur. C'est tout ce qui lui reste de l'ordre de la régression à cette femme que personne ne nourrit, ne réchauffe, n'attend. Elle retrouve là enfin quelque chose de l'origine : le bruit des vagues, régulier à ses oreilles, lui rappelant le bruit du cœur, lorsqu'elle était encore fœtus. Car, depuis, quelle course effrénée, toujours au nom de l'autre ou des autres ! Car, ici même, que fait-elle cette femme ? elle est censée devenir bronzée et plus désirable encore aux yeux de l'homme. La plupart des régressions féminines ne se cachent-elles pas derrière l'oriflamme du *plaire* établi par l'homme ?

Les maris ensuite font semblant de trouver tout cela bien volage de la part de leur épouse, mais n'y a-t-il pas qu'un moyen d'accéder à la régression pour une femme ? Prendre pour soi quelque chose de nécessaire en déclarant qu'on ne le fait que pour les autres.

Je comprends tous les défauts féminins, ils sont charmants à mes yeux et n'ont de défauts que la culpabilité qui s'y rattache. Ils partent du Miroir (réponse narcissique nécessaire à la femme depuis l'absence de regard paternel), passent par les petites folies (cadeaux que la femme se fait parce que personne ne les lui fait) et finissent souvent par les gourmandises (douceurs que le conjoint oublie souvent de distribuer moralement et que la femme ingurgite physiquement).

Partout où elle le peut, la femme cherche à être gratifiée, chouchoutée, rassurée. On demande une recette, une adresse, le nom d'un médicament, on demande quelque chose à « Une Autre » qui l'accepte et le comprend. Depuis quelque temps cela prend des proportions inquiétantes aux yeux de l'homme qui ne comprend pas que l'homosexualité prenne la place de l'hétérosexualité à cause d'une histoire de tendresse, à cause d'un besoin de régression auquel il paraît ne rien comprendre... Les femmes en effet s'adressent à d'autres femmes pour se faire aimer sans conditions; sans esclavage, avec droit à la régression...

Si seulement les hommes voulaient regarder d'un autre œil la demande féminine, s'ils pouvaient voir que le besoin d'être petit n'est ni l'apanage de l'homme, ni celui de la femme, mais représente les petites récréations dont nous avons besoin les uns et les autres pour remplir notre rôle d'adulte le reste du temps. La régression, le retour en arrière, est la pierre de touche de notre vie psychique, comme le sommeil est le retour aux sources indispensable sur le plan physique. Pourquoi la femme serait-elle privée des moyens de vivre sainement sur le plan psychique ? Et pourquoi n'aurait-elle droit à la régression que par voie détournée ?

Une femme va chez le coiffeur : est-ce pour satisfaire le désir de son mari qu'elle soit belle, ou pour satisfaire son propre désir de se faire bichonner, chouchouter, sans autre souci pendant plusieurs heures (toujours cet étrange flirt entre le désir de l'autre et le sien propre, toujours la duplicité de la femme prise entre ce qu'elle est et ce qu'on lui enjoint d'être) ? Vous en connaissez comme moi de ces femmes que la séance chez le coiffeur transforme pour plusieurs heures : elles ont senti là qu'on leur voulait du bien ou qu'elles se voulaient du bien, qui le saura jamais ? Qui a menti dans cette affaire ? La femme ? Le coiffeur ? Le mari ?

Lisez *Chères menteuses* [1] et vous comprendrez tout du mensonge perpétuel et inévitable de la femme, mais de notre mensonge, l'homme ne veut rien connaître, rien savoir, il veut faire semblant de n'y être pour rien. Et surtout il veut n'être dérangé en rien par l'existence féminine alors que la femme voit son univers chamboulé, mis à l'envers par l'existence masculine.

En fait tous les divorces actuels ne sont-ils pas le fruit d'un double mensonge ? L'homme n'a pas voulu voir le besoin de régression de sa femme, la femme a fait semblant de s'en accommoder, mais tout à coup elle se rend compte qu'elle n'a rien à gagner auprès de ce grand enfant égoïste et exigeant, et elle décide de s'en aller (actuellement le divorce est une demande plus fréquemment féminine que masculine). Le couple éclate pour une histoire de régression mal partagée entre les conjoints, la régression de Monsieur occupant toute la place à la maison, celle de Madame se trouvant résumée à quelques instants sur l'oreiller (d'où l'importance exagérée de cet oreiller, dont l'homme ne s'accommode qu'à moitié, avec la peur de la tendresse et des mots qui lui est habituelle). Les femmes divorcent plus souvent que les hommes, mais c'est la plupart du temps parce que l'homme n'a pas su leur ménager un seul lieu de régression et que la solitude dans ou hors le mariage, c'est la même chose.

Y aura-t-il encore des femmes pour accepter que le mariage ne permette régression et sublimation qu'à un seul, et ne prouvent-elles pas qu'elles préfèrent une vie sans contrat puisque le contrat s'attaque toujours à la liberté des mêmes ?

1. G. Rolin, *Chères menteuses*.

Nous n'avons pas besoin de père et de mère, nous avons besoin d'attention paternelle et maternelle.

Mort de la famille, DAVID COOPER

12.

FAMILLE : THÉATRE MODERNE POUR PIÈCE ANTIQUE

Acte 1er : Le Père absent

Société patriarcale, structure œdipienne, famille nucléaire, tel est le lieu où intervient l'analyste et où il ne peut éviter de se poser la question de l'Œdipe vécu socialement, et de la société vue comme agent névrosant.

La société évoluant sans changer radicalement, les interdictions se déplacent, les symptômes aussi : l'heure n'est plus à la grande crise d'hystérie, mais à la discrète conversion psychosomatique. L'homosexualité ayant été acceptée comme forme possible de la sexualité, c'est maintenant la bissexualité qui fait son apparition. C'est dire que le champ de la psychanalyse ne cesse de se déplacer, mais que l'inconscient garde toujours une longueur d'avance sur le chercheur appelé psychanalyste.

Par exemple, on peut remarquer que la cellule familiale se rétrécissant, la répartition des rôles entre l'homme et la femme devient de plus en plus précise, l'Œdipe de plus en plus circonscrit à la Mère, et que du même coup viol et violence font la une des journaux. Le mythe antique, qui fait passer le malheureux héros œdipien par la mort du père et le rapport sexuel interdit à la mère, se précise-t-il à mesure que la scène familiale se réduit ? Y a-t-il un rapport entre le resserrement de la famille et la violence des sentiments qui y prennent naissance, face au père et à la mère, seuls protagonistes du drame infantile ?

Plus je lis les journaux, plus je vis en famille, plus j'écoute mes patients, plus je me prends à me demander si mon métier n'a pas plus à voir avec une société malade qu'avec des individus mal portants. Car leur histoire personnelle n'est jamais que le reflet de ce qu'ils présentifient par leurs symptômes, et leurs symptômes découlent toujours de l'impossibilité à résoudre le conflit œdipien, par suite de l'absence d'un protagoniste d'un drame prévu à trois et qui se joue le plus souvent à deux : le père étant en général absent de la scène...

La famille des grands habitats collectifs est l'image d'une toute petite cellule, au sein d'une société géante, et plus l'habitat est important, plus la famille se resserre sur quelques mètres carrés. Au milieu de chacun de ces petits mondes familiaux trône la mère toute-puissante. L'univers de chaque enfant se voit rétréci à sa mère et à ses frères et sœurs, tout au moins dans le jeune âge, car les facilités ou les difficultés de la garde de l'enfant c'est la mère qui les assume de façon habituelle et quasi permanente.

En effet, la société ne présentant pas d'équipements extérieurs à la famille pour s'occuper de cet enfant hors période scolaire (insuffisance des crèches et des garderies, inexistence de maisons de jeunes pour adolescents), un des membres du couple doit être tenu pour responsable de l'enfant ; ce sera forcément la mère, qui, à salaire inégal avec son mari, n'hésitera pas à se proposer pour l'arrêt de son travail.

Donc l'enfant vivra le plus souvent en face à face avec la Mère, le Père étant le plus souvent à son travail : « parti en auto » comme le dit très justement l'enfant. Le père c'est le grand absent de cette nouvelle société bourgeoise de consommation. Curieuse société qui, sous prétexte d'augmenter le confort matériel grâce à l'argent du père, amplifie l'inconfort psychique grâce à une éducation uniquement féminine. *L'absence du père* est donc redoublée de la *présence continue de la mère.*

Autrefois, ce qui ne pouvait se dire dans l'espace familial pouvait être exprimé ailleurs, auprès d'un oncle, d'un cousin, d'un voisin. On trouvait toujours dans cette vaste société un parent de « secours ». Actuellement, dans l'univers cloisonné qui est le nôtre, la famille rétrécie à sa plus simple expression est le seul lieu de parole possible, d'où la montée de l'angoisse entre parents et enfants : on demande beaucoup trop à cette mère, qui en demande beaucoup trop à son enfant, et finalement cela est angoissant parce qu'inévitable.

L'Œdipe (attrait de l'enfant pour le parent de sexe opposé), ne trouvant pas d'issue sur un théâtre aussi réduit, se représentera d'autant plus violemment au sein du couple à venir et de l'amour. Le rétrécissement de la famille entraîne la dramatisation des conflits affectifs normaux de l'enfance. L'amour a pris une importance démesurée et s'avère incapable de pallier nos malheurs d'enfance : donc on divorce, parce que le compromis paraît impossible, pour cette génération nouvelle, absolue et violente.

L'éducation de l'enfant occupe de façon majeure la vie de la femme, qui se sentant unique responsable de son enfant, est prête à tout lui sacrifier, quitte à devenir agressive envers lui plus tard.

L'Œdipe prend un aspect nouveau, du fait qu'il est vécu en vase clos, la mère et l'enfant en étant les seuls acteurs toujours face à face. Inséparables, acquis l'un à l'autre, aliénés l'un à l'autre : ne disent-elles pas couramment, en parlant de leur enfant :

« Il *m*'a fait la rougeole. »

« Il *m*'a sucé le pouce. » (Lequel, le vôtre ou le sien ?)

« Elle *m*'a ramené un 2 en calcul. » (Va-t-elle en classe pour elle ou pour vous ?)

« Il *m*'a mangé sa soupe. » (Est-ce vous ou la soupe qu'il a mangée ?)

« Il *m'a* fait 39° de fièvre. » (Est-ce contre vous qu'il est malade ?)

Que ne leur a-t-il pas fait encore ? Tout simplement « il » leur a fait, cet enfant, qu'il est toujours là, qu'il n'y a pas moyen de vivre un seul instant sans lui, qu'il est comme rivé à sa mère, et que c'est beaucoup trop pour tout le monde : pour la mère qui devient agressive envers son enfant bien-aimé, pour l'enfant qui ne connaît pas de liberté puisque tout ce qu'il fait, c'est à elle qu'il le fait.

Dans les avantages d'une autre éducation semi-déchargée par des organismes extérieurs, la mère et l'enfant récupéreraient de la liberté, car pendant plusieurs heures ils auraient pu agir en fonction d'eux-mêmes et non par rapport au désir de l'autre...

Quelle est, pensez-vous, l'origine fréquente de cette malencontreuse dysorthographie, si souvent à l'origine de la consultation chez le thérapeute ? C'est pour l'enfant l'impossibilité à établir le JE sans le ELLE de la mère qui habite cet enfant apparemment seul en classe. Mais cet enfant n'est jamais seul : il est toujours relié à sa mère, et cela aboutit à la confusion des genres (masculin et féminin sont confondus) et du nombre (un ou plusieurs c'est la même chose, puisqu'il a toujours vécu à deux avec la mère...). Il n'a le sens ni du singulier ni du pluriel, et l'on s'étonne, on s'arrête devant cet illogisme pourtant si logique dans la tête de l'enfant. Il ne se sait pas « un » mais « deux » : lui et sa mère, ça a toujours été ainsi depuis sa naissance, pourquoi brusquement à l'école faudrait-il que cela cesse ? (Faut-il redire ici que les petits garçons sont ceux qui présentent le plus de troubles scolaires infantiles, sans doute parce que vivant collés à leur mère de sexe différent, l'histoire des genres s'embrouille dans leur tête ?)

Et nous, psychanalystes, nous pourrions passer notre temps à réparer les dommages causés par cette famille réduite, par cette éducation aux mains des femmes, sans rien en dire sur le plan social ? Nous pourrions nous évertuer à culpabiliser ou déculpabiliser (tout dépend du psychanalyste) ces mères qui n'ont d'autre alternative que le cercle infernal : masochisme-dévouement-agressivité, auquel l'enfant répond par : refus-agressivité-culpabilité ?

Nous ferions semblant de ne pas voir que ces mères depuis quelque temps viennent seules à la consultation, se prenant pour uniques responsables de la situation, puisqu'elles ont été seules à assumer cet enfant ? Ne faut-il pas leur dire en tout premier lieu que l'éducation d'un enfant c'est trop lourd, trop difficile pour être porté par une seule et que si le père, une fois de plus, est absent aujourd'hui du bureau de consultation, cela ne veut pas dire qu'il ne soit pour rien dans l'histoire qu'on raconte à propos de l'enfant.

Seulement, voilà, l'homme s'est cru dispensé de paternage, il pensait que le maternage suffirait, et du reste, où aurait-il pris le temps et l'énergie de paterner, lui qui rentre si fatigué de son travail à l'extérieur ? « Si on ne devait compter que sur lui... », disent les femmes, triomphantes (triomphe bien court, payé bien cher), heureuses de le voir écarté d'une fonction où elles seraient enfin supérieures à l'homme. L'enfant servirait-il de *bastion* à la femme dans cette infinie *guerre des sexes ?* Il semble, en effet, bien souvent que l'acharnement de la femme à revendiquer l'enfant soit aussi grand que le refus de l'homme à l'assumer.

Mais depuis quelque temps, une autre femme apparaît qui veut vivre *avec* son enfant, mais *non à travers lui,* et cette nouvelle femme veut maintenir son activité sociale, tout en ayant des enfants ; elle a donc besoin de trouver autour d'elle des structures qui se chargent de l'enfant au-delà de 17 heures. Cette femme considère la maternité comme une fonction parmi d'autres, mais non comme un BUT en soi. Et l'enfant ne doit pas plus faire dévier le chemin de la femme qu'il ne détourne celui de l'homme. Car si l'on n'y prend pas garde la maternité, simple étape sur le chemin de la femme, se transforme en arrêt « terminus ».

Moi-même, femme, mère, psychanalyste, si je m'interroge sur les difficultés rencontrées dans ma propre existence, je les trouve toutes du côté de la Mère, et de la théorie psychanalytique concernant la femme et la structure de son inconscient, la pratique « intenable » de la maternité, étant soutenue par une théorie « insoutenable », dans laquelle Freud m'assigne en tant que femme à désirer l'enfant comme *remplaçant du pénis* qui me manque. Or, je suis désolée, mais cet enfant n'a jamais obturé pour moi le fait que je ne possède que la moitié du sexe et dois recourir à l'autre sexe pour retrouver le tout. Je constate que l'homme est dans la même situation que moi, mais que Freud n'en a pas tiré les mêmes conclusions, sans cela l'enfant aurait été tenu aussi comme remplaçant du sein et de l'utérus absents chez l'homme... Il aurait représenté l'objet universel du couple, ce qui le mettrait dans une position tout autre, n'ayant rien à voir avec le classicisme familial défendu par Freud, et selon lequel l'enfant appartient à la mère.

En fait, cet enfant, je l'ai voulu comme vous tous et vous toutes, comme image réunie de l'homme et de la femme, comme trace de la rencontre de deux mondes différents. Mais l'enfant désiré sous le signe de la réconciliation des sexes et de la bissexualité tombe en naissant dans la guerre des sexes, par suite de l'éducation monosexuée dont il est l'objet. Cet enfant, symbole de deux en un, continuité de l'union passagère du coït, se trouve par son séjour prénatal à l'intérieur du corps féminin, annexé au corps de la femme. On aurait pu croire cette communauté d'existence limitée à quelques mois, mais du fait de la société, elle va durer infiniment plus longtemps ! Et la rupture du cordon ombilical ne rompt en rien l'unité de la mère à l'enfant, puisque la société la prévoit, et fait tout pour la maintenir...

Entre la conception et la naissance, le désir d'enfant se modifie chez l'homme et chez la femme : celle-ci à travers la grossesse paraît découvrir le « tout », tandis que celui-ci se sent exclu du projet qu'il avait conçu. Lors de la naissance il n'osera pas récupérer son bien, et sa femme ne fera rien pour qu'il y ait accès : elle le garde. L'homme ayant dû renoncer à la relation de corps le temps de la grossesse, ne la fera pas sienne à la naissance : cet enfant représente pour le père l'histoire de sa lignée, de sa succession, mais l'histoire du corps de cet enfant, il ne s'en mêlera pas, elle se déroulera *avec la mère seulement*.

C'est au berceau que l'univers de l'enfant se divise en deux, et que la *sexuation* prend figure de *sexisme*. Car l'enfant est en train de s'établir dans un monde où tout ce qui est du corps et de l'affectivité passe par la mère, donc classé comme féminin, tandis que tout ce qui est rêve intellectuel et continuation de la race, donc de la place sociale, est vu comme masculin. Le sexe imprègne dès le plus jeune âge non seulement les parties génitales comme l'a fait remarquer Freud, mais tout. L'être qui devient très rapidement sexué : c'est là le hic qui se glisse dans la vie précoce des individus, les préparant à ce qui deviendra la guerre des sexes.

Comme cet enfant désiré à deux m'a paru lourd, dès qu'il a eu déserté mon habitacle intérieur : là il ne me gênait pas, il ne m'empêchait pas de vivre, il m'accompagnait, tandis qu'à partir de sa naissance il s'est accroché à moi. Il n'avait que moi, j'étais son unique recours, sa seule et unique mère. Quel abîme entre le rêve d'une réalisation commune avec mon mari, et la charge énorme qui m'incombait tout à coup ! Et à moi seule !

La société n'était prévue, c'est alors seulement que je m'en suis rendu compte, ni pour lui ni pour moi. Seulement pour mon mari. Est-ce une société d'hommes où je figure par erreur ou par omission ? N'est-ce pas le même refrain que j'entends toujours chanté par des hommes ou des psychanalystes : *Femme, « dépourvue de pénis », compte sur ton enfant phallique, et considère-le comme l'« objet » qui te manque. Là est ta seule issue, ta seule réalisation, la seule place que l'on t'aidera à occuper, le reste appartenant à l'homme.*

Si je regarde ma vie de femme, je constate que le fait d'être travailleuse au sein de cette société ne m'a donné aucun droit à être aidée par elle lors de l'éducation de mes enfants ; au contraire, on a tout fait pour me faire comprendre que la charge de l'enfant était première (couverture sociale de la famille assurée par le mari, salaire unique, sans considération du niveau de vie), tandis que mon travail était facultatif (aucune indemnité journalière pour placer cet enfant quelque part, sauf si mon niveau de vie était anormalement bas). Il y a là quelques signes révélateurs du fait que l'éducation de l'enfant par la mère au foyer, est d'abord un choix gouvernemental et que la possibilité de la femme d'arrêter son travail est bien souvent pour elle l'impossibilité de faire autrement.

La société distribue si étroitement les rôles selon le sexe depuis notre plus tendre enfance que nous avons parfois du mal à repérer notre propre désir. Il est impensable pour une femme de ne pas aimer pouponner, il est pour un homme ridicule d'oser y prendre du plaisir.

Cela étant donc établi de l'extérieur pour ainsi dire, je devais pouponner, et comme je voulais aussi travailler, j'ai connu l'affreux dilemme que connaissent tant de femmes ! Personne ne viendrait prendre le relais auprès de mon enfant durant mes absences, rien n'était prévu à l'extérieur de la famille pour en assurer la garde jusqu'à la fin de mon travail. Nul n'ignore que les crèches et garderies sont inexistantes en face des besoins. J'habitais une ville de cent quarante mille habitants et il y avait, en tout et pour tout, deux crèches et une halte-garderie. Donc, à moi les solutions de rechange, les petites combines avec la grand-mère, avec la voisine, etc. Et, à partir de 17 heures, à moi l'angoisse de les avoir, ces chers petits, hors classe, hors cadre.

17 heures : heure fatidique, pour la plupart des femmes, qui ont encore une heure de travail à assurer, doublée d'une

heure de mère anxieuse. « Qui sait si tout le plan aura bien fonctionné ? Pourvu que rien d'inattendu ne se produise. Pourvu que la vie et la santé tournent aussi rond que les aiguilles de la montre. » Telles sont les pensées des femmes en France au-delà de 17 heures. Mais qui donc gouverne ce pays pour ne pas prêter attention au fait que le rendement de l'employée baisse au fur et à mesure que la culpabilité et l'angoisse maternelle montent ?

J'ai attendu en vain, des hommes étaient ministres, des femmes le sont devenues, sans que ce grave problème de la garde de l'enfant, de l'angoisse maternelle, de la culpabilité parentale si préjudiciable à l'enfant fussent évoquées. Faudrait-il par hasard des psychanalystes au ministère de la Santé ou de l'Education ? Car les femmes, bien décidées à ce que l'enfant ne leur barre plus la route, font de plus en plus de gymnastique inattendue entre leur travail et leurs berceaux.

Rien n'a été prévu pour pouvoir mener de front la vie active et la reproduction. Et les natalistes ont bonne mine de se désespérer de la baisse du nombre d'enfants par famille ! Tant que la société ne viendra pas à l'aide des deux parents en se chargeant d'une partie de la garde de l'enfant jeune, il y aura de moins en moins d'enfants.

Ce n'est pas en attachant la Mère à son enfant par un salaire (solution régulièrement reprise par les familialistes) que l'on résoudra le problème de la femme rendue esclave par son enfant. C'est en la libérant du poids exclusif de l'enfant qu'on lui redonnera le goût de procréer dans la joie et non dans la peine. Oui, la famille se rétrécit et elle se rétrécira encore, si ceux qui sont à la tête de cette société ne mettent pas tout en œuvre pour que la maternité ne représente plus un objectif, mais une fonction parmi d'autres, qui n'obture pas toutes les autres, et ne perturbe pas plus le chemin de la femme que la paternité ne perturbe celui de l'homme.

C'est à la *maternité,* et non à la *sexualité,* que se rattache la principale injustice entre les sexes : car l'homme écarté de la grossesse a décidé, pour se venger de cette jouissance féminine impartageable, de se tenir loin de l'enfant non seulement neuf mois, mais encore neuf ans. C'est la femme qui durant de longues années portera, *seule,* le fruit du désir des deux époux.

L'homme traverse la paternité, la femme est arrêtée par la

LES ENFANTS DE

Gril

54 à 72

. Comment l'auteure
la fillette et le

. Quelle est la rela
petite fille ? La

71 . Quelles sont les

. Comment ces relat
86
les dans la vie d

. Quelle solutions

. Les hypothèses p

JOCASTE   Christiane Olivier

le d'analyse

définit-elle le complèxe d'Edipe chez
petit garçon?

tion qui s'établit entre la mère et la
mère avec son petit garçon? fille méfiance p 69

conséquences chez les deux enfants?

ions influencent-elles et se manifestent-el-
87-88
u couple et dans la vie sociale? 57 - 72

propose l'auteure? p 188 - 192

résentées peuvent-elles se vérifier dans:

vos relations avec vos enfants

vos relations avec votre compagnon

la structure sociale

maternité, on l'enferme socialement dans ce qui fut un jour son désir alors que l'homme en reste indemne. La maternité devient ainsi un choix social, qui fait disparaître la femme et naître la mère en même temps que son enfant. Comment s'étonner alors que devant un tel choix, il y ait parfois en cours de route des renoncements ; comment s'étonner qu'entre le désir profond et instinctif de vouloir un enfant à deux, et la naissance d'un enfant à assumer seule, la femme dresse entre son rêve et la réalité le couperet de l'avortement ?

« Désir d'enfant » et « maternité » sont deux entités si différentes que, si, devant la première, hommes et femmes rêvent ensemble, devant la seconde la femme se réveille bien souvent seule, et doit prendre des décisions scandaleuses aux yeux de l'homme qui continue à rêver. Rêver de cet enfant qu'il n'a pas le pouvoir de garder n'ayant pas eu le courage de s'en charger.

Il est absolument sidérant de voir la persistance de l'homme à vouloir maintenir la vie d'un enfant dont il n'assumera pas la charge (je veux parler de l'opposition quasi générale des médecins à l'avortement !).

2e acte : Le Sacrifice maternel

La maternité qui est en soi changement d'état physiologique devient également changement de statut social. Lors de la maternité, le choix se pose de façon inéluctable : ou lâcher le statut de femme pour adopter celui de mère, ce qui peut donner l'impression d'un contentement immédiat, suivi de beaucoup de déceptions lorsque la femme, plusieurs années après, voudra reprendre une vie active ; ou bien garder son statut de femme et être mère en plus, ce qui donne une impression immédiate de surmenage, déclenche parfois la culpabilité, mais préserve la place sociale de la femme, qui n'aura pas l'impression d'inutilité le jour où ses enfants partiront.

L'enfant par sa venue au monde touche beaucoup trop à l'équilibre intérieur de la mère, pour que leur relation à tous deux n'en porte pas la marque : l'amour de la mère sera souvent ambivalent, celui de l'enfant sera marqué d'inquiétude et de culpabilité, voire d'opposition à cette agressivité de la mère.

1. Si la femme a choisi de rester auprès de son enfant jugeant cette solution plus avantageuse sur le plan financier ou sur le plan psychologique, l'enfant va devenir partie prenante dans l'économie libidinale de la mère, il va représenter pour elle la preuve de sa réussite, il va être là pour signifier qu'elle est bien une bonne mère : c'est *l'enfant-salaire de la mère* qui ne peut rien faire ni désirer sans que ce soit pour ou contre elle. L'enfant se sent porteur d'une existence qui n'est pas la sienne. Et c'est parfois si lourd à porter que j'en vois certains qui préféreraient retourner à la fabrique.

Les mères qui disent « tu me tues » ou « tu me feras mourir » révèlent par ces paroles que leur existence passe désormais par l'enfant. Lequel d'entre nous, adulte ou enfant, voudrait porter ainsi en lui la réussite ou l'échec d'un autre ?

La sacro-sainte Fête des mères ne vient-elle pas signaler l'importance du sacrifice maternel et un besoin de réparation à l'égard des femmes qui en ont tant fait pour l'enfant ? Faut-il que les mères se sentent exploitées, dévalorisées, mises au plus bas, pour accepter aussi spontanément d'être portées ce jour-là au plus haut ! Si ces mères qui restent auprès de l'enfant y ont une telle jouissance, pourquoi faut-il les en remercier ? On ne réhabilite que celui qui a subi un dommage. Ce n'est pas un hasard si cette revalorisation est tombée d'abord sur la mère !

Moi j'ai voulu des enfants pour le plaisir, je ne voudrais pour rien au monde qu'ils aient à me remercier de la joie que j'ai, que nous avons prise à les faire et à les voir grandir ! Ne devrais-je pas plutôt les remercier ou m'excuser de les avoir inscrits ainsi au registre de la vie, sans les consulter, tout simplement parce que je n'avais pas envie que ma vie s'arrêtât un jour ?

2. Soit la femme a décidé de continuer sa route personnelle et de garder sa place sociale, estimant que la maternité n'est pas son seul destin, elle va vite se rendre compte que rien n'est socialement prévu pour son enfant et elle ne tardera pas à plonger dans l'inquiétude et la culpabilité : la première maladie de celui-ci va transformer en enfer anxieux la vie de celle-là. La plus grosse critique faite à l'emploi féminin n'est-elle pas

que l'absentéisme y fleurit sous forme de congé-maladie, lequel cache toujours la maladie d'un autre : l'enfant ?

Ces femmes se décrivent comme ordinateurs toujours en fonction : en effet se déroulent dans leurs têtes plusieurs programmes concomitants, et non convergents. Double vie, double visage, double sourire, double souci, tout est devenu double dans la vie d'une femme qui travaille et qui a un enfant. Combien enviable apparaît alors le mode de vie de l'homme : un seul programme en tête à la fois, un salaire uniquement monnayable en argent, comme cela paraît simple !

Les femmes vont d'un statut à l'autre, la plupart ont essayé tour à tour les deux formules : il y a toujours quelque chose qui ne va pas dans le système, et c'est toujours la prise en charge de l'enfant par la femme seule, et qui tient souvent mordicus à le rester. Il lui semble, tant son conditionnement à l'enfant est précoce, que sa valeur passe par là, elle n'arrive pas un instant à imaginer partager avec l'homme le seul rôle qu'il lui a accordé totalement...

Et l'homme tout content d'avoir trouvé pour son enfant un baby-sitter aussi fidèle aurait bien tort de lui faire envisager une autre répartition des charges ; aussi quand la femme travaille, conserve-t-elle en même temps et contrairement à l'homme, son rôle familial de responsable de l'enfant.

Tant que la femme ne sortira pas de sa culpabilité personnelle, tant qu'elle continuera à croire davantage à la valeur de l'autre qu'à la sienne propre, l'homme intelligemment continuera d'exploiter son affreux défaut, quitte à le parer des plus grands noms : dévouement maternel, instinct féminin, fibre charnelle. Il y aura toujours derrière ces grands mots-là quelque chose de l'ordre de la réhabilitation : on rend à la femme, sous forme de maternité louable, tout ce qu'on lui a pris de liberté, et on appelle dévouement le fait que sa liberté soit devenue celle de l'autre.

Ce dévouement, ce renoncement, cette abdication de soi-même, il va bien falloir que l'enfant les paye de quelque façon. N'est-il pas très lourd d'être l'enfant de cette femme qui a besoin avant tout de justification et de gratification ? Ce sacrifice de l'une venant s'inscrire au cœur de la vie de l'autre ne crée-t-il pas entre eux une sorte de dette impardonnable entre générations différentes ? Et la femme pour avoir exercé la domination sur des êtres jeunes et impuissants à se défendre, ne se retrouve-t-elle pas plus tard face au ressentiment venant des enfants et des adultes des deux sexes ? Nous avons vu que l'homme se vengera d'elle en l'écartant de tous les lieux où il se trouve, et que la fille la tiendra pour son immuable rivale. N'est-ce pas un bien piètre remerciement pour celle qui en a « tant fait » pour son enfant ? Et la maternité n'est-elle pas un leurre qui, en échange de quelques années de joie mêlée de peine, nous propose pour le restant de nos jours un amour mêlé de haine venant de ceux avec lesquels nous vivons ?

Ne vois-je pas que chaque névrose repose en premier lieu sur la relation à la mère, vue comme occupant le devant de la scène chez l'enfant comme chez l'adulte ? En tant que femme je trouve ce destin (si on pouvait s'assurer que c'en soit un...) bien lourd à porter. Les femmes devraient être les premières à quitter cette place brûlante et risquée. N'est-il pas inquiétant d'apprendre que quoi qu'elles fassent, quoi qu'elles choisissent comme façon de vivre avec l'enfant, les femmes, tant qu'elles seront uniques éducatrices de l'enfant, seront tenues pour seules responsables de ce qui lui adviendra ?

N'est-il pas terrible de payer si cher et si longtemps la joie que nous avons voulu garder pour nous seules ? L'Œdipe tel qu'il se déroule dans la société actuelle fait de la femme l'unique cible du vieux ressentiment constitué à l'encontre de la mère. Si nous voulons changer quelque chose au règlement de comptes exercé socialement contre la femme, ne faut-il pas d'abord éviter que le ressentiment infantile ne se dirige exclusivement sur elle dans le champ familial ?

Cette place de Mère que l'on nous décrit comme si enviable n'est-elle pas en vérité un terrain miné d'avance ? Et ce terrain vague, qui nous sépare de l'enfant naissant, ne ferions-nous pas bien de le traverser ensemble, homme et femme, chacun laissant derrière lui une empreinte différente de celle de l'autre ?

Que le monde *féminin* cesse d'être la seule référence par rapport à laquelle l'enfant des deux sexes doive se situer, que l'homme intervienne enfin dans la formation psychique de son enfant comme il est intervenu au moment de sa conception, et son fils pourra s'établir d'emblée dans la similitude, au lieu de devoir s'accrocher désespérément à une *dissemblance* d'avec la femme qui lui nuira tant lors de ses rapports adultes avec elle.

Sa fille pourra peut-être enfin se regarder dès le départ dans un *miroir tendu par l'autre sexe,* lui révélant son corps comme désirable, et n'aura plus besoin d'interroger inlassablement son image dans les yeux de l'homme à venir qui paraît incapable de calmer l'anxiété de sa partenaire. La mère vue comme présence castratrice, le père décrit comme absence salvatrice, sont des images néfastes pour les deux membres du couple, et dont il s'avère difficile de sortir.

Somme toute, en voulant enfermer la « Femme » on a enfermé tout le monde, c'est toute la famille qui porte la marque de *son* sacrifice. A-t-on suffisamment mesuré l'influence d'une telle femme déclarée féminine et douce en toute ignorance de ce qu'elle était vraiment ? Il s'avère actuellement qu'elle n'est en réalité ni l'un ni l'autre. Peut-elle être féminine et douce, celle qu'on a enfermée et claustrée dans sa féminité dès le commencement de son existence ? Comment une prisonnière (qui n'a rien fait d'autre que naître sexuée en femme) pourrait-elle être douce et heureuse de se voir promise à un tel sort ?

Moi-même, si habituée à la névrose individuelle, comment rester indifférente devant cette même névrose vécue collectivement ? Comment ne pas dire que les principaux résultats de la famille actuelle sont la *misogynie* de l'homme et la *culpabilité* de la femme ? Je les retrouve présentes dans le moindre article de journal, la moindre proposition de loi concernant la famille.

3e acte : Discours socio-politique tenant lieu de chœur antique

L'homme édicte la loi qui enfermera la femme, et la femme accepte tout ce qui agrée à l'homme, tant elle est occupée à ne pas lui déplaire. Tant elle est habituée depuis son plus jeune âge à se plier à l'image qu'on lui présente d'elle et au rôle que l'on attend qu'elle remplisse.

Que voit-on en effet, sur le plan social, sinon que quel que soit le régime, c'est toujours l'avenir de la femme qui est annexé à celui de l'enfant ? Et en cas de difficultés pour celui-ci, ce sera celle-là qu'on enchaînera : par exemple, il n'y a pas assez de crèches et de garderies ? Soit, on proposera à la femme un congé-maternité assez long pour masquer les besoins en équipements collectifs. On pourrait même proposer un salaire à partir du troisième enfant (solution envisagée par M. Debré pour favoriser la natalité), cela éviterait d'une part la création de lieux collectifs pour l'enfance, et d'autre part épargnerait à l'Etat de verser des salaires élevés à des spécialistes de l'enfance. Pour un prix infiniment moindre, ce serait la mère qui serait l'éducatrice de son propre enfant et il n'y aurait pas de risque de grève, l'employeur et l'employé étant de la même famille.

C'est ainsi que grâce au très puissant Œdipe de notre cher président V.G.E., nous avons maintenant droit à deux ans de congé maternité pour nous visser dans l'Œdipe de notre enfant et nous exclure à cette occasion du champ social. Il n'est pas psychanalyste, V.G.E., il ignore tout de la constitution du phallocrate et de la naissance de la femme-objet, et c'est en toute bonne conscience que, tout en défendant publiquement l'importance de la participation des femmes à la politique, il a trouvé en fait le moyen, lui aussi, de les faire disparaître encore quelques années de la scène. Le syndicaliste, ce sera l'homme, le baby-sitter, ce sera « elle ». On n'en sortira décidément pas et, tant qu'on n'aura pas dénoué le destin de l'enfant de celui de la mère par une aide extérieure à la famille, les femmes n'accéderont à aucune des responsabilités ni préoccupations masculines : l'univers restera stupidement coupé en deux, la société demeurera profondément sexiste, et le destin continuera d'être attribué au berceau.

Il semble que l'homme, qu'il soit de droite ou de gauche, n'ait qu'une idée : leurrer la femme, en la tenant prisonnière soit à coup de devoir, soit à coup d'argent : on veut acheter son dévouement, la payer pour l'amour qu'elle prodigue à son enfant, mais l'amour et le dévouement sont-ils obligés d'aller de pair ? Et ne peut-on aimer sans se sacrifier, exagérément, entièrement, comme le font les femmes ?

Il n'y a pas que les hommes politiques pour être victimes de leur Œdipe, il y a également tous les spécialistes masculins de l'enfance, de la natalité, historiens scientifiques, et directeurs des grands journaux féminins (presque toujours des hommes) qui participent à la divulgation de la recherche sociologique. Ils participent tous à la grande ronde des phallocrates éduqués par les soins d'une femme, et demandent sans coup férir la même chose pour la génération à venir (et que n'a-t-on pas entendu, au cours de l'année 1979, tout spécialement dédiée à « l'enfant » ?).

Que demande M. P. Chaunu, professeur d'histoire moderne, dans les colonnes d'un article publié dans *Marie-France* en janvier 1978, sous la rubrique : « Sommes-nous trop ou pas assez nombreux ? » Il commence par s'émouvoir de la baisse de la natalité, et demande un effort général à toute la société. Vous allez voir comme rapidement, habilement, cet effort général, c'est à la femme qu'on va d'abord le demander, en lui proposant, ce qui n'est guère nouveau, d'élever seule son enfant de zéro à trois ans ou cinq ans. Ce n'est pas en lui décernant le titre somptueux d'éducatrice de son propre enfant que l'on va changer quelque chose à la condition de la mère, ni à son esclavage, mais cette fois-ci le système proposé est plus perfide, et risque d'attirer bien des femmes dans le guet-apens tendu par l'homme. Car M. Chaunu réclame à grands cris :

— *Un salaire « maternel »* (pourquoi maternel ? Le père possède-t-il quelque vice fondamental, qui l'écarte de cette fonction ?). *De trois à cinq ans, pour toutes les femmes, qui pourraient alors choisir de devenir puéricultrices et éducatrices de leurs enfants* (« Choisir », êtes-vous sûr que, dans un système social où certains couples ont à peine 2 500 francs par mois pour vivre, n'importe quel apport d'argent supplémentaire ne représente une « obligation » ? Et si on a si laborieusement écarté de notre route l'enfant-fruit du hasard, est-ce pour maintenant réintroduire l'enfant-bénéfice-financier ? La femme ne sera-t-elle donc jamais libre vis-à-vis de son désir de maternité ?). *Seul ce financement rétablirait les conditions d'une véritable égalité entre les sexes* (Non, Monsieur, puisque ce salaire n'est proposé qu'à la femme, je ne vois pas en quoi il rétablit l'égalité des sexes ; bien au contraire je vois en quoi il les « inégalise » devant l'enfant... Et si la fonction maternelle est l'égale de celle de l'homme, pourquoi les hommes ne paraissent-ils pas pressés de s'en charger ?).

— *Un droit à la retraite pour les mères de trois enfants et plus, seule possibilité pour lutter contre l'injustice d'une société où tous profitent de cet avantage, sauf celles qui ont porté dans leur chair et dans leur cœur la génération qui financera ces retraites.*

Voulez-vous transformer en enfer cette relation déjà si grevée à notre mère, en ajoutant au bon comportement exigé autrefois de l'enfant, la bonne rétribution exigée maintenant de l'adulte ? Voulez-vous que de cette première relation il ne reste que dettes, devoirs et obligations ? Pourquoi mélanger intimement travail occasionné par l'enfant et amour maternel ? L'enfant qui n'est pas un étranger pour la mère relève de l'amour et non d'un salaire, tandis que l'enfant étranger à l'éducatrice sort du cadre du désir et tombe dans celui de l'éducation. On a toujours payé les enseignants, que je sache, mais j'espère bien qu'on ne paiera jamais les parents. Ce serait le début de quelque chose que je n'ose pas nommer : ce serait la fin de l'amour. S'offrir un enfant est un cadeau que les parents se font l'un à l'autre et qui est sans prix parce que unique. Ce cadeau apparaît-il si empoisonné que ni homme ni femme n'en veuille spontanément ?

Ce que personne ne veut c'est la charge totale de cet enfant, ce que tout le monde veut c'est l'amour de cet enfant. Il est donc bien clair que c'est la charge qu'il faut répartir autrement en ouvrant des haltes-garderies, en payant des éducateurs et éducatrices qui s'occuperont de cet enfant. En aménageant des horaires et des congés plus souples pour que, tour à tour, les parents puissent se relayer. A partir du moment où l'on propose de payer une fonction aussi instinctive que celle de faire un enfant, je ne vois pas bien la limite de ce qui va être à payer dans une vie humaine.

Tant de plaisirs ne s'obtiennent que par un effort préalable. L'enfant c'est le *plaisir* des parents, en premier lieu, c'est en deuxième lieu un *membre de la société* et on n'obtiendra jamais que les parents fassent des enfants pour le bien-être de la société, mais toujours pour leur propre bien-être. Si la charge de l'enfant nuit au bien-être, de la mère en particulier, c'est cela qu'il faut toucher pour influer sur la natalité : l'enfant ne doit plus être la cage même dorée de la mère.

Heureusement que tout le monde ne voit pas les choses du même œil que M. Chaunu et qu'acheter des citoyens en finançant les parents, n'apparaît pas comme solution aussi évidente que ce monsieur voudrait nous le faire croire. Dans ce même journal, un autre chercheur, M. Leridon, prend la plume (je rends ici des points à *Marie-France*) pour dire : « *Puisqu'on ne veut pas de ce numéro 3, c'est sans doute que tout ne va pas si bien avec le numéro 2. L'analyse de ces difficultés devrait être menée en premier. Lorsque l'explication d'un problème est trouvée, l'expérience prouve qu'il disparaît de lui-même.* »

Mais je ne crois pas que ce problème de la baisse de natalité disparaîtra de lui-même, car il y a une mauvaise volonté évidente à remonter aux sources du mal. Il y a un désir évident de laisser l'enfant aux mains de la mère. Le vrai problème, c'est que cet enfant coupe la route de la mère, l'oblige à renoncer à son propre développement en faveur de celui d'un autre. Et cela, certaines femmes commencent à en mesurer le prix, et à comprendre que si elles ont marché (même couru) dans ce système, c'est à cause de leur culpabilité qui leur fait croire davantage à la valeur de l'autre qu'à la leur.

En acceptant le rôle de Mère dévouée à ses enfants, la femme espère toujours secrètement rentrer dans la norme, être une vraie femme (nous savons que, depuis le début de sa vie, c'est son objectif principal), reconnue « satisfaisante » aux yeux des autres. Dans la maternité, la femme continue comme d'habitude à courir après son image. Mais cette image d'elle favorable est-elle la seule à laquelle une femme puisse prétendre ? Dans un système patriarcal, l'homme installe la femme au foyer avec les enfants, pour pouvoir régner partout ailleurs, et la femme prendrait pour sa vocation véritable ce qui n'est que le désir de l'homme ?

Du reste M. Leridon se pose le problème et, quelques lignes plus loin, il écrit : « *Vivre autrement supposerait de donner à chacun sa chance.* » Je suppose que la seule chance de la femme n'est pas la maternité, et que la femme devrait être libre de choisir une autre chance, si elle le désire, mais cela nécessiterait évidemment que son enfant puisse être pris en charge soit par l'époux, soit par des structures extérieures à la famille. Donner sa chance à l'enfant n'est pas forcément l'obliger à vivre le face à face avec la Mère, dont nous avons vu à quel point il peut souffrir parfois...

Mais comme le reconnaît toujours M. Leridon : « *D'une manière générale, il faut reconnaître que notre société n'est absolument pas adaptée à l'enfant, et ne tient aucun compte de ses besoins spécifiques.* » Il est bien vrai que la société se préoccupe davantage de ses deniers, c'est-à-dire de son confort matériel, que du bien-être psychique des individus... Et que les besoins spécifiques d'un enfant, personne ne sait exactement où les situer : éducation isolée, ou collective ? Pouponnage par des mains d'homme ou de femme ? Relation à la mère exclusive ou relative ? Aucune réponse jusqu'à présent sinon la réponse patriotique : les femmes et les enfants à la maison.

Une analyste ne peut-elle donc lire tranquillement un journal féminin sans y déceler le germe des impasses œdipiennes qui constituent le lieu de son intervention ? Est-ce qu'ouvrir un de ces journaux n'est pas retrouver immédiatement les deux stéréotypes qui perdent les femmes ? La femme-objet, qui doit plaire à l'homme (à travers la mode), et la femme qui a comme objet l'enfant (articles sociologiques qui posent l'enfant comme responsabilité de la femme).

N'est-il pas du devoir de l'analyste de dire que l'*image de la mère* au cours d'une analyse est en général aussi hypertrophiée que son rôle l'a été dans la vie réelle du sujet ? Et ne devons-nous pas rappeler que cet individu que nous prétendons aider, vient d'une société vis-à-vis de laquelle nous nous tenons le plus souvent muets en tant qu'analystes ?

Le poison œdipien est répandu partout et, à notre insu, la pensée œdipienne nous habite tellement que nous n'en voyons plus les effets... L'« œdipianisation » de la société est générale, ne faut-il pas dire qu'elle passe par la Loi du Père et l'éducation donnée par la Mère ? Que cette éducation féminine déclenche chez les fils une loi antiféminine qui forcément brime les femmes ? Et donc que toute société patriarcale sécrète d'elle-même le ferment anti-féminin ?

N'est-il pas évident que le but principal de l'homme ne peut être que d'empêcher la femme d'exister en tant qu'égale ou supérieure ? Si les féministes se battent aujourd'hui, c'est pour récupérer le droit à l'existence, mais, je le répète, à mon avis elles s'en prennent à la couche superficielle du sexisme, à ses effets secondaires, alors que le phénomène sexiste est enraciné au cœur de l'homme depuis sa plus tendre enfance et que c'est là qu'il est repérable et qu'on peut y remédier. C'est en se retirant de la nursery, en y laissant pénétrer l'homme que les femmes ont quelque chance que la guerre des sexes s'atténue...

Et voilà la réponse à ma question du début : jusqu'où une analyste peut-elle être féministe ? Sûrement pas jusque-là où les femmes se battent actuellement, car l'homme à qui elles parlent, celui qu'elles veulent convaincre, a fermé depuis longtemps ses oreilles au discours qui émane d'elles. Une analyste peut avoir à faire avec le féminisme, dans la mesure où elle est amenée à rendre compte d'un sexisme (dirigé contre la femme) qui prend naissance au berceau et plonge ses racines dans l'inconscient.

La psychanalyse apportera sa contribution au féminisme dans la mesure où elle rendra conscient et explicable un conflit entre les sexes, resté jusque-là inconscient et inexplicable. *Wo es war soll ich verden* [1]. Là est l'objet de la psychanalyse depuis Freud.

Dans la structure actuelle de la famille, l'inconscient ne peut se structurer que par rapport à la Mère, seule éducatrice reconnue de l'enfant, et par la suite le conscient de chacun règle ses comptes avec la Femme qui recueille ainsi la vindicte des deux sexes.

Ici, hommes et femmes doivent s'arrêter et comprendre à quel point tous les *privilèges* accordés aux Mères, se transforment en *sortilèges* qui poursuivent inlassablement les femmes durant toute la vie. Il est indispensable que les femmes se rendent compte que si elles continuent à garder le pouvoir auprès de l'enfant, elles seront automatiquement éloignées de tout autre pouvoir.

Les nouvelles femmes sont celles qui ne confondent plus maternité et propriété, rôle et vocation, et qui entendent prendre leur part aussi bien de la production que de la reproduction alors que, jusqu'à présent, nous avions cru n'avoir droit qu'à l'une ou l'autre selon notre sexe.

L'existence de la Femme passe par la désacralisation de la Mère, dont le règne a engendré la misogynie de l'homme et la

1. « Où était le Ça doit advenir le Moi », autrement dit : où était l'inconscient, le chaos, doit advenir le conscient : la pensée.

jalousie de la femme. Il peut y avoir une autre famille, une autre éducation, une autre répartition des tâches parentales et sociales, qui permettraient à l'enfant de trouver dès son arrivée au monde un référent de même sexe, et un complément de sexe opposé : l'un servant de support à l'identification et l'autre assurant l'Œdipe et l'identité. Tant que la famille restera le lieu des différences entre rôle d'homme et rôle de femme, l'enfant y puisera la graine du sexisme.

Il faut qu'hommes et femmes assument une égalité de rôles dans la différence de sexes, pour que l'enfant puisse concevoir que la différence des corps n'engendre pas la différence des pouvoirs, concept qui sert de base à la guerre actuelle entre hommes et femmes.

COMMENCEMENTS...

Lire Sophocle, lire Freud, découvrir cette étonnante vérité : nul n'échappe à l'Oracle, nul n'échappe au Désir.

Pas plus Jocaste, bien que prévenue, n'a pu éviter d'épouser son propre fils, pas plus les femmes d'aujourd'hui bien qu'ayant lu (ceci en particulier) ne pourront tourner le dos à leur propre désir de « l'autre » sexe.

C'est l'homme qui jusqu'à présent essaie de s'enfuir, c'est toujours lui qui s'en va, tel Laïos sur son char, il essaie d'éviter le Désir et rencontre la Mort...

Depuis des éternités, c'est l'homme qui a déserté le foyer et la femme qui y est restée, endossant tout le poids de l'Antiquité doublé récemment de celui de la culpabilité. Mais les choses peuvent changer et l'« autre histoire » va peut-être commencer...

Que feront-ils, si nous aussi nous tournons le dos à notre Désir ? Qui est d'enfanter, de porter, de continuer, si nous décidons de renoncer à la Maternité pour éviter de porter la Culpabilité ?

Si l'homme refuse d'envisager la suite de son désir d'enfant, comment pourrions-nous en assurer le commencement ? Si l'homme refuse de parler à cet enfant, pourquoi répondrions-nous à ses vagissements ?

« Laïos, ne t'en va pas, ne me laisse pas SEULE avec " lui " face à "elle", sinon tu le sais bien il ne rêvera que de m'épouser puis de me tuer... Elle ne cessera pas de t'appeler, te chercher pour t'emprisonner, te garder... Laïos, viens, c'est le début d'un autre temps, *l'ailleurs où l'autre n'y sera plus condamné à mort*[1] est déjà là et c'est toi et moi qui l'écrivons. »

1. H. Cixous.

TABLE DES MATIERES

COLLECTION FEMME

Format de poche

1.	A. Michel et G. Texier	*La condition de la Française d'aujourd'hui I*
2.	A. Michel et G. Texier	*La condition de la Française d'aujourd'hui II*
4.	Lagroua Weill-Hallé	*La grand-peur d'aimer*
5.	Clara Malraux	*Civilisation du kibboutz*
6.	Marie Thérèse	*Histoire d'une prostituée*
7.	A. David-Neel	*Voyage d'une Parisienne à Lhassa*
12.	Rosemonde Pujol	*Une bonne éducation*
14.	Eleanor Roosevelt	*Ma vie*
17.	Mary McCarthy	*Mémoires d'une jeune catholique*
18.	Betty Friedan	*Les femmes à la recherche d'une quatrième dimension*
19.	Gisèle Charzat	*Les Françaises sont-elles des citoyennes ?*
20.	Jeannine Héraud	*Les sports au féminin (illustré)*
21.	Kate Millett	*La prostitution*
22.	Huguette Bastide	*Institutrice de village*

COLLECTION FEMME
Moyen format

Amicale de Ravensbrück et A.D.I.R.	*Les Françaises à Ravensbrück*
Janet Clark	*La confrérie fantastique*
Georges Ferdinandy	*Chica, Claudine, Cali, trois filles dans le monde*
Charles Ford	*Femmes cinéastes*
Dagfinn Gronoset	*Anna des terres désolées*
M.-T. Guinchard	*Le « Macho » et les Sud-Américaines*
Caroline Hennessey	*Moi la salope*
Augusta Léon-Jouhaux	*Prison pour hommes d'Etat*
R. et R. Rapoport	*Une famille, deux carrières*

COLLECTION FEMME
Grand format

Marie Allauzen	*La paysanne française d'aujourd'hui*
Rolande Ballorain	*Le nouveau féminisme américain*
Vérity Bargate	*Non, Maman, Non*
Colette Basile	*Enfin, c'est la vie !*
	Ma vie comme je peux
Meg Bogin	*Les femmes troubadours*
M. Boon-Peyla	*Le passage des Alpes*
Pascal Bouchard	*Romanciers à 13 ans*
Claudie Broyelle	*La moitié du ciel*
Claire Cayron	*Divorce en France*
B. D. Colen	*Le droit à la mort*
Anne Cublier	*Indira Gandhi*
Jeanne Danos	*La poupée, mythe vivant*
Annie Decroux-Masson	*Papa lit, Maman coud*
Elizabeth Dufourcq	*Les femmes japonaises*
M. Faugère et M. d'Argentré	*Histoire de deux mères*
Jeanne Faure-Cousin	*Une de Provence : Marie Mauron*
Véra Figner	*Mémoires d'une révolutionnaire*
D. et E. Flamant-Paparatti	*Emmanuelle ou l'enfance au féminin*
Gisèle Freund	*Le monde et ma caméra*
Betty Friedan	*La femme mystifiée*
Dagmar Galin	*Ana et Blanca*

Benoîte Groult	*Le féminisme au masculin*
Alice Guy	*Autobiographie d'une pionnière du cinéma*
Elizabeth Janeway	*La place des femmes dans un monde d'hommes*
J. Kahn-Nathan et G. Tordjman	*Le sexe en questions*
Madeleine Laïk	*Fille ou garçon*
Gerda Lerner	*De l'esclavage à la ségrégation*
Brigitta Linner	*Sexualité et vie sociale en Suède*
Rosa Luxemburg	*Lettres à Léon Jogichès* (2 tomes)
Shirley Mac Laine	*De Hollywood à Pékin*
Margaret Mead	*L'un et l'autre sexe*
Margaret Mead	*Le fossé des générations*
Michèle Méric	*Le mariage névrotique*
Anka Muhlstein	*La femme-soleil*
Elsa Oliva	*La partisane Elsa*
Anne Ophir	*Regards féminins*
R.C. Orem	*Le manuel Montessori*
Gabriella Parca	*Les Italiennes se confessent*
Tony Parker	*Cinq femmes en prison*
Sylvia Plath	*La cloche de détresse*
Rosemonde Pujol	*Hôpital : j'accuse*
Evelyn Reed	*Féminisme et anthropologie*
Romola Sabourin	*La retraite avenir*
G. de Sairigné	*Les Françaises face au chômage*
Mary Savage	*Suicides*
Gitta Sereny	*Meurtrière à onze ans*
Judy Sullivan	*Maman n'habite plus ici*
Awa Thiam	*La parole aux Négresses*
Audrey C. Thomas	*Du sang*
Anneliese Ude-Pestel	*Betty, psychothérapie d'une petite fille*
Sula Wolff	*Enfants perturbés*
Virginia Woolf	*Une chambre à soi*

Ce volume
a été achevé d'imprimer
le 23 août 1982
sur les presses
de l'Imprimerie Carlo Descamps
Condé-sur-l'Escaut

D. L. : août 1982
Editeur : 1344
Imprimeur : 2790